MW00827491

Feng Shui habitación por habitación

Terah Kathryn Collins

Feng Shui

habitación por habitación

EDICIONES URANO

Argentina - Chile - Colombia - España
Estados Unidos - México - Venezuela

Título original: *The Western Guide to Feng Shui Room by Room*
Editor original: Hay House, Carlsbad, California
Traducción: Alicia Sánchez

Reservados todos los derechos. Queda rigurosamente prohibida, sin la autorización escrita de los titulares del *Copyright*, bajo las sanciones establecidas en las leyes, la reproducción parcial o total de esta obra por cualquier medio o procedimiento, incluidos la reprografía y el tratamiento informático, así como la distribución de ejemplares mediante alquiler o préstamo públicos.

© 1999 *by* Terah Kathryn Collins
© de la traducción, 2000 *by* Alicia Sánchez
© 2000 *by* EDICIONES URANO, S. A.
    Aribau, 142, pral. - 08036 Barcelona
    http://www.edicionesurano.com

ISBN: 84-7953-398-6
Depósito legal: B. 18.953 - 2000

Fotocomposición: Ediciones Urano, S. A.
Impreso por I. G. Puresa, S. A. - Girona, 206 - 08203 Sabadell (Barcelona)

Impreso en España - *Printed in Spain*

A aquellas personas que:
hacéis todo el bien que podéis,
con todos vuestros medios,
de todas las maneras posibles,
en todo lugar,
en todo momento,
a todas las personas,
durante todo el tiempo que podéis.

La regla de John Wesley

Índice

Prólogo

por Ángel García

El Feng Shui es el arte de reorganizar el entorno para mejorar la calidad de vida.

TERAH KATHRYN COLLINS

¿Quiere descubrir los auténticos secretos del Feng Shui? ¿Quiere incorporar el Feng Shui a su vida de forma fácil y práctica? Este es el libro adecuado.

La esencia del Feng Shui es hacer lo complejo simple, destacar lo importante sobre lo accesorio. Es una ciencia que puede traer a su vida los cambios y mejoras que desea. Basta con conocer y practicar unos pocos principios para iniciar el proceso. Y todos esos principios están contenidos en este libro.

Como consultor e instructor de Feng Shui estoy familiarizado con libros sobre Feng Shui, sobre energías, sobre arquitectura... pero ninguno me ha producido el impacto de *Feng Shui para Occidente*, el primer libro de Terah K. Collins donde aportaba una nueva y original aproximación a la energía vital contenida en todos los objetos que nos rodean, nuestra relación con ella y cómo usarla de forma directa en nuestro beneficio. Extrayendo los puntos esenciales de la más pura tradición china del Feng Shui y despojándolos de todos los elementos que por la diferencia cultural o por su falta de utilidad no tenían significado para los occidentales, Terah Collins ha elaborado una introducción práctica al Feng Shui aún no superada.

Pero en el presente libro, Terah consigue añadir aún más profundidad al tema sin restarle amenidad. Esta es una obra que muestra la facilidad oculta de una disciplina que parece cerrada y difícil y lo hace de una forma accesible y amena. Abre una puerta a todo aquel que desee saber cómo reordenar su casa de forma armoniosa para el propio bienestar y felicidad, que desee conocer cómo usar el Feng Shui.

Y lo hace de forma no doctrinal, sin filosofías, basándose en su propia experiencia como consultora, permitiendo que las experiencias del lector se vayan construyendo paso a paso por la práctica de consejos directos y sumamente efectivos. Así la confianza crece poco a poco porque cada paso está basado en el anterior.

El punto central de este libro es **que todo está vivo, todo está relacionado y todo cambia,** y desde estos sencillos principios podemos conseguir que en nuestra vida los acontecimientos y las personas se sucedan de forma fluida y armoniosa. ¡Podemos influir en el entorno de la misma forma en que el entorno influye en nosotros! Basta con aprender a reconocer los elementos necesarios, a mirar lo que nos rodea con otros ojos. Tras leer este libro, estos objetivos estarán mucho más cerca de usted.

Terah ha trabajado como consultora de Feng Shui con miles de personas, da conferencias en todo el mundo, ha escrito libros y fundado la *Western School of Feng Shui*, desde donde se difunde su sistema de trabajo, Feng Shui Esencial®. Y durante todos estos años se ha apoyado siempre en su sentido práctico y su gran contacto con la realidad.

Como podemos atestiguar quienes la conocemos, lo importante para Terah es ser feliz y ayudar a otros a serlo. Con sus palabras cariñosas, con sus risas contagiosas y su constante buen humor es la mejor encarnación de sus enseñanzas ¡Deja que la energía fluya, disfruta, sé feliz! Y gran parte de ese espíritu se trasluce en estas páginas.

Una guía para los que desean iniciarse, un manual para los que desean practicar, un libro de cabecera para todos aquellos a quienes apasiona el Feng Shui. Todo eso es este libro. Léalo, practíquelo, regálelo. ¡Cambie su vida!

¿Se atreve? ¡El Feng Shui transformará su vida como ha transformado la mía!

Ángel García
consultor de Feng Shui
Barcelona, marzo 2000

Prólogo

Este libro es para mí un sueño hecho realidad; siempre me ha gustado el dicho de «una imagen vale más que mil palabras». Aunque mi primer libro, *Feng Shui para Occidente*, contiene gráficos y sencillos dibujos lineales, y el segundo, *Home Design with Feng Shui A-Z* (una versión resumida de este) tiene ilustraciones a color, la oportunidad de captar el Feng Shui con una cámara era una meta que tenía desde hacía mucho tiempo. Afortunadamente, no era consciente del tiempo que me iba a llevar esta aventura. De haberlo sabido, puede que hubiera renunciado a esta gran experiencia de mi vida. Todo el trabajo, el tiempo y el esfuerzo que me costó bien merecieron la pena, pues hicieron que un sueño se volviera realidad.

Fue muy divertido. En algunas fotos aparecen personas porque quería destacar el hecho de que esos hogares eran reales. ¡Allí viven personas! Su entusiasmo y su voluntad de «participar» hicieron que las sesiones fotográficas parecieran más una fiesta que trabajo. En la fotografía del comedor, figura 7A de la página 151, por ejemplo, nuestros modelos se lo estaban pasando tan bien que no pudieron concentrarse en posar. Lo que estáis viendo es su alegría espontánea del momento. No habría podido dirigirles mejor si lo hubiera intentado.

Todas las fotos las tomamos en la zona de San Diego e ilustran condiciones reales que se encuentran en los hogares típicos occidentales. Las soluciones a los retos planteados al Feng Shui fueron escogidas por el cliente basándose en su presupuesto y en su gusto personal, y salvo unas pocas excepciones, algunos casos ya estaban resueltos mucho antes de que se hiciera la foto. Mientras miras las fotos, piensa en lo que podrías haber hecho en una situación similar. La naturaleza personal de cada solución siempre es una parte importante de su poder. Las directrices del Feng Shui para conseguir la armonía son lo bastante flexibles como para respaldar tus necesidades y preferencias básicas. Incluso los principios básicos del Feng Shui, como el mapa bagua, los cinco elementos y las herramientas para activar el chi, están sujetos a las interpretaciones personales. Lo que cuenta siempre son los resultados. Confía en ti mismo y disfruta del proceso, siempre en evolución, de crear una vida celestial en cada pensamiento y cada habitación, y de hacerlo momento a momento.

Agradecimientos

Hay un ejército de ángeles en mi vida que han hecho que haya podido escribir este libro. Mis salvadores, los que han obrado milagros, las luces brillantes que me han bendecido con su apoyo y su aliento para que escribiera sobre mi pasión, el Feng Shui. Tengo la bendición de conoceros y me siento muy agradecida.

Gracias, Jonathan Hulsh, hermano espiritual, cofundador de la Escuela Occidental de Feng Shui y fotógrafo excepcional, por tus innumerables horas de trabajo. Tu acertada visión ha captado imágenes que ofrecen más de lo que podrían llegar a decir las palabras. Gracias por compartir mi visión del Feng Shui.

Linda Carter, Jackie y Richard Earnest, Elaine y Terry Hailwood, Louise Hay, Jeff Kahn, Mary Lou LoPreste, Dan McFarland y Barbara Takashima, Barbara Masters y Alan Richards, Bob Petrello, Bidyut y Uday Sengupta y Ron Tillinghast, gracias por abrir vuestras casas a nuestra cámara del Feng Shui. La esencia misma de este libro radica en vuestra generosidad y entusiasmo sin límites.

Gracias a Cheryl Rice, verdadera amiga del alma y extraordinaria diseñadora de interiores, cuyo talento para crear ambientes Feng Shui idóneos puede observarse en varias de las casas que se muestran en este libro.

Gracias a los artistas cuyas obras originales aparecen a lo largo del libro. A Monte deGraw, de Solana Beach, California; Jan Gorden, de Ballard´s, en Atlanta, Georgia; Karen Haughey, de Fremont, California; Lynn Hays, de Del Mar, California; Louise Hoffman, de Las Vegas, Nevada; Richard Haeger, de Encinitas, California; Brett Hesser, de San Diego, California; Jeff Kahn, de Encinitas, California; Jacki Powell, de La Mesa; California; Cheryl Rice Interiors, de La Jolla, California; y los artistas representados por la Trios Gallery de Solana Beach, California: Dan Díaz, James Hubbell, Alex Long, Sally Pearce, Geri Scalone, Karin Swildens y Charles Thomas. Todos vosotros nos inspiráis el espíritu creativo.

Becky Iott, Linda Kay, Jennifer Moy, Jane Ozuna y Duana Wanket, gracias por colaborar con vuestras magistrales energías en la Escuela Occidental de Feng Shui. Gracias a vosotras la escuela crece, prospera y puede ofrecer formación en Feng Shui a nuestra comunidad mundial.

Gracias a mis alumnos y clientes, que me ayudan a mantener bien abiertos los «ojos Feng Shui» y a disfrutar de cada minuto que empleo en él, por alimentar mi pasión y compartirla conmigo.

Gracias a Shelley Anderson; David y Amita Bardwick; Adam Barton; Alice, Carol y Klint Beatson; Martina Chapkis; Cathy Coleman; Kurt Congdon; Ray Egan; Kovida y Tony Fisher; Diane Grover; Ebba Hansen; Brooke, Robert y Logan Harvey; todo el equipo de Hay House Publishing; Alice Hetzel; Apara Kohls; Shivam Kohls; Randal McEndree; Evana Maggiore; Alan Miller; Mimi Miller; Marti, Ron y Paul Luc Montbleau; Bill Ozuna; Karen y Gary Pooler; Candy Rojas; Ellen Schneider; Dale, Blanca y Julia Schusterman; Margot Shia; Bridget Skinner; Rosemary y Charley Stokes; Evelyn «ET» Thomas; Greg Verhey, y Heather Williams. Su cariño y su amistad a lo largo de los extensos y variados procesos de redacción han sido una constante fuente de apoyo e inspiración.

Mi gratitud y mi admiración también a Christopher Alexander, Don Aslett, Louis Audet, Thomas Bender, Sarah Ban Breathnach, Carol Bridges, Deepak Chopra, Isle Crawford, Wayne Dyer, Dennis Fairchild, Louise Hay, Karen Kingston, Anthony Lawlor, Jami Lin, Denise Linn, Victoria Moran, James Allyn Moser, Christiane Northrup, Arnold Patent, James y Salle Redfield, Sarah Rossbach, Mona Lisa Schulz, William Spear, doctor Richard Tan, Carol Venolia, Rich Welt y el profesor Lin Yun por su talento y su inspiración como escritores y profesores, así como por contribuir a la armonía ambiental.

Y, como siempre, gracias a mi marido, Brian Collins. Gracias por el brillante contenido que se edita en este libro, así como por tus amorosos cuidados asegurándote de que comiera, durmiera y disfrutara de mis dosis regulares de humor mientras trabajaba en este proyecto. Eres mi mejor amigo, lo que anhela mi corazón y, esencialmente, la fuerza amorosa que se esconde tras cada una de mis palabras.

Introducción

Sintoniza con las fuerzas visibles
e invisibles de la naturaleza

Somos lo que pensamos. Todo lo que somos surge de nuestros pensamientos.
Con nuestros pensamientos creamos el mundo.

BUDA

Cuando se me pide que defina el Feng Shui, suelo empezar diciendo que «es el estudio que trata de la organización de nuestro entorno para mejorar nuestra calidad de vida». Sin embargo, la definición más exacta no se puede resumir en una línea, sino en una espiral en constante rotación, cuyos círculos surgen cada uno del anterior para conseguir la perfecta armonía. De modo que la definición del Feng Shui podría ser como la espiral de palabras que se encuentra en la página siguiente.

El Feng Shui, que significa «viento y agua», observa las relaciones entre las fuerzas visibles e invisibles de la naturaleza. Al igual que el viento y el agua, tú y tu entorno sois dos fuerzas de la naturaleza. Tus deseos, metas, aptitudes, actitudes y sentimientos, al igual que la fuerza invisible del viento, y el ambiente del hogar en el que vives, al igual que la fuerza visible del agua, están en constante interacción y se influyen mutuamente. Y al igual que sucede con el viento y el agua, cuando tú y tu casa estáis en armonía, reinan la comodidad, la tranquilidad y lo positivo. La vida está repleta de condiciones ambientales justas, como recursos

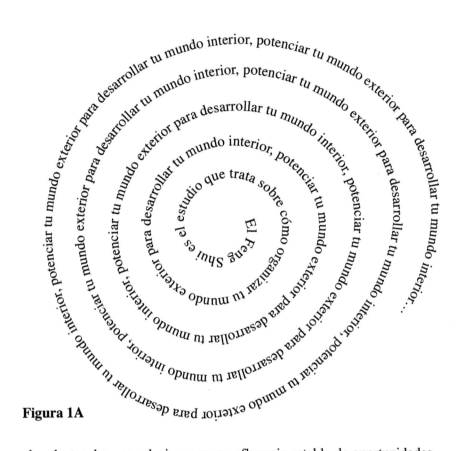

Figura 1A

abundantes, buenas relaciones y una afluencia estable de oportunidades. En estas armoniosas circunstancias, medran la salud, la prosperidad y la felicidad.

Por otra parte, cuando estás de alguna manera en conflicto con tu casa, permanecen las condiciones extremas. Algunas de las condiciones climáticas de tu vida pueden ser un trabajo «estancado», un matrimonio «tormentoso», una «sequía» de recursos o una «inundación» de problemas de salud. La principal meta del Feng Shui es aportarte armonía y aportarla a tu hogar, de modo que no tengas que «sobrevivir» a los temporales sino que puedas prosperar en un paraíso que tú mismo hayas diseñado.

En la última década, aunar fuerzas con mi hogar ha transformado mi vida. Cuando el viento de mi intención clara arrastra el agua de mi entorno, se produce el cambio. El Feng Shui te puede enseñar a unirte con las fuerzas de tu hogar para que el cielo entre en tu vida. Eso significa crear una unión íntima con tu casa. Es un matrimonio que uno espera que tenga lugar.

La forma y la brújula:
Las dos escuelas básicas de Feng Shui

La raíz filosófica del Feng Shui es tan importante hoy en día en nuestra cultura occidental como lo era hace miles de años en China. Las dos principales escuelas de Feng Shui, la escuela de la forma y la escuela de la brújula, aunque comparten la misma teoría filosófica, resultan bastante distintas. La escuela de la forma se centra en la organización de las «formas» u objetos dentro de una casa y alrededor de la misma para conseguir el máximo flujo de chi (energía vital). Esta escuela de Feng Shui es más un arte que una ciencia estricta; es muy flexible porque se ajusta a las necesidades y respeta los gustos personales de los clientes, a la vez que potencia el flujo del chi.

La escuela de la brújula confía en el uso del *luo pan*, o brújula china, y en la fecha de nacimiento de los propietarios de la casa para evaluar los entornos. La escuela de la brújula, al basarse en los resultados numéricos, es especialmente útil cuando estás construyendo tu casa y puedes elegir dónde colocar las habitaciones, las puertas y las ventanas. Otras escuelas secundarias que han surgido de estas dos principales han añadido sus propias interpretaciones y sus propios métodos, de modo que las prácticas de los asesores de Feng Shui pueden ser muy variadas.

Con el paso de los años, he observado que las técnicas de la escuela de la forma producen excelentes resultados y, en general, son más fáciles de integrar en el estilo de vida occidental. A partir de mis observaciones y experiencias he desarrollado el Essential Feng Shui® (Feng Shui básico), con un enfoque muy práctico y personalizado para poner al alcance de Occidente los beneficios de este arte.

Como es dentro, así es fuera: Una nueva visión

He trabajado con personas de todas clases que vivían en todo tipo de casas, desde grandes mansiones a casas en serie de urbanizaciones de las afueras y pequeños apartamentos. Salvo raras excepciones, todas me llamaron porque no estaban contentas, había algo en su vida que no funcionaba. Estaban en proceso de divorcio, tenían problemas de salud crónicos u odiaban su trabajo. El pasado las atormentaba, estaban confundidas en el presente o temían el futuro. Fuera cual fuera el reto, las introduje en una nueva visión y una nueva forma de hacer frente a sus infortunios. Hasta nuestra primera entrevista, la mayoría de mis clientes pensaban que su estado emocional y su vida espiritual nada tenían que ver con su hogar. La premisa del Feng Shui de que la felicidad y el entorno son dos fuerzas de la naturaleza que están íntimamente conectadas era una idea totalmente nueva para ellos. Darse cuenta de que el hogar puede literalmente reforzar o debilitar la salud, la riqueza y la felicidad de sus ocupantes trae consigo un importante cambio de visión.

Cuando estas personas abren sus «ojos Feng Shui», ya no pueden ver simplemente sus casas como «cosas» o sus pertenencias como «objetos» inanimados. Sus casas y todas sus posesiones de pronto están vivas y estrechamente relacionadas con su calidad de vida. Ven que sus conflictos no están separados de su hogar, sino que, en realidad, siguen existiendo debido a ellos. Por consiguiente, empieza la conexión vital entre las personas y el «ser» al que denominan hogar. Cuando aceptan esta conexión, los sentimientos de aislamiento y desconexión se transforman en poder personal y creatividad. El «viento» de sus intenciones tiene un propósito cuando es dirigido hacia el «agua» de su hogar. Esto armoniza las fuerzas visibles e invisibles, y a raíz de ello, su vida cambia para mejor.

Como ciencia y arte holista, el Feng Shui está pensado para equilibrar y armonizar nuestros reinos interior y exterior. En nuestra cultura, a medida que el Feng Shui ha ido cobrando popularidad, también lo ha hecho la tendencia a que este se convierta en una práctica externa de «solución rápida». De repente veo aparecer en las casas todo tipo de adornos de Feng Shui que se supone que han de propiciar dinero, trabajo o amor al instante. La gente se sienta con los brazos cruzados y dando golpecitos con los pies, esperando, impaciente, que papá Feng Shui aparezca por arte de magia. No se dan cuenta de que son ellos los que atraen «la magia» a los cambios que desean en la vida. Sus ornamentos permanecen como un remanso de agua hasta que son alcanzados por el aliento vital de la intención y el enfoque. Sólo se producirán los cambios positivos y duraderos cuando sus objetivos y su claridad unan sus fuerzas con sus ornamentos.

De las palomitas de maíz a la prosperidad

Una de mis historias favoritas es la de mi clienta Pam, que había puesto un cuenco con palomitas de maíz encima de la cisterna del retrete. Había leído un artículo en el que se decía que la riqueza se multiplicaba poniendo palomitas de maíz en el cuarto de baño. Aunque le parecía bastante extraño, se decidió a probarlo. Su familia necesitaba ayuda económica y siempre parecía haber algo que evitaba que ella pudiera volver a trabajar. Quizá las palomitas conseguirían que se obrara el milagro. Tras unas cuantas semanas sin resultados, decidió hacer una consulta de Feng Shui para llegar al fondo del asunto. Cuando llegué, fuimos directamente al aseo, donde me pidió que le explicara exactamente de qué modo unas palomitas humedecidas y pasadas iban a sacar a flote su economía.

Le expliqué a Pam que su «remedio» Feng Shui se originaba en la teoría de los cinco elementos. Las palomitas representaban el elemento madera, que se suponía que había de contrarrestar el exceso de elemento agua que hay en un cuarto de baño, lo cual a su vez equilibraría el flujo de dinero y de recursos en su vida. Sin embargo, si realmente quería mejorar su economía tendría que hacer algo más que poner un cuenco con palomitas en el cuarto de baño. Para conseguir beneficios, Pam tenía que unir sus fuerzas con las de toda su casa, añadir su intención clara y concentrarse en la fórmula. Al hacerlo, podría escoger las herramientas necesarias y organizar su casa para invitar a que la riqueza entrara en su vida en todas sus formas. Entretanto, había muchos modos de incluir el elemento madera en el cuarto de baño: poner plantas, flores, toallas, cortinas y papel de la pared de rayas o flores, e incluir el azul y el verde. No tenían necesariamente que ser palomitas, lo cual la alegró bastante.

Como suele suceder, la casa de Pam necesitaba mucho más trabajo externo que un simple arreglo en el cuarto de baño. La falta de prosperidad que estaba experimentando se reflejaba en todas las habitaciones. Hicimos una larga lista de cambios externos, con sus correspondientes cambios internos, que ella podía realizar para mejorar el Feng Shui de su casa y de su vida. En las semanas siguientes, empezó a ver las habitaciones con nuevos ojos y a cambiarlas para reflejar con precisión su intención de «desprenderse de la idea de pobreza, seguir adelante y abrazar una conciencia de prosperidad».

Pam empezó por el recibidor, donde colocó una fuente para representar el flujo abundante de recursos y de oportunidades que entraban en la casa. Eliminó una mesa que bloqueaba parcialmente la entrada y reorganizó el salón, afirmando así su voluntad de abrirse y de abrazar la prosperidad. Un diario en la mesita de noche le recordaba a quién debía estar agradecida y por qué, y agregarlo a su «cuenta corriente» de pensamientos positivos.

También se deshizo de los trastos viejos que tenía «aparcados» en el garaje y organizó las bicicletas y herramientas de modo que hubiera suficiente espacio para los coches. Por primera vez en muchos años, los coches entraron en el garaje en lugar de quedarse en la rampa del jardín y Pam sintió que empezaba a ejercer un control real sobre su vida. Arreglar el garaje simbolizaba desprenderse de lo que no es necesario para hacer sitio a las cosas valiosas; empezaba a ver las prioridades. Desenvolvió los espléndidos candelabros de cristal que siempre habían sido «demasiado buenos» para usarlos y los colocó en la repisa de la chimenea del salón, como símbolo de la claridad cristalina de su creciente sentido de prosperidad.

Habitación por habitación, Pam se desprendió de los objetos que la hacían sentirse pobre, las cosas viejas, rotas e innecesarias que había guardado «por si acaso», y esparció por toda la casa sus favoritos, que le recordaban que la riqueza viene de miles de formas. Poco a poco, la casa se aligeraba y se convertía en un lugar más alegre para vivir. Todas las habitaciones salvo una, su despacho. Había dejado el desafío más grande para el final. Sabía que para completar su trabajo de Feng Shui tenía que enfrentarse a él y reclamar la parte de su vida que este representaba.

Las cosas sin sitio estaban esparcidas por todos los rincones y superficies de la habitación, conocida como «el cuarto de los trastos». De pronto, descubrió por qué nunca podía hacer nada allí. Caja por caja, Pam tiró lo que no servía —jaulas de hámsters, disfraces, cientos de catálogos, maletas, antiguos trabajos escolares de los niños y ropa que se les había quedado pequeña— y ordenó el resto. Con sitio para maniobrar, pudo colocar la mesa de trabajo de modo que le permitiera ver la puerta estando sentada tras ella. Cuando revisó la habitación desde su nueva posición de ventaja, se sintió llena de júbilo y de fuerza. La habitación cantaba y ella, por primera vez desde que podía recordar, sentía la prosperidad hasta en lo más profundo de su ser. Aquello era el reflejo de lo que ella quería ver; así es como se quería sentir. Todos los demás cambios hechos en la casa se habían notado, pero este fue transformador. Pam cambió su mentalidad de pobreza por la de riqueza.

A partir de ese momento, se sintió atraída hacia su despacho. Al contrario que antes, el trabajo no paraba de llegar y le aportó un flujo estable de lucrativas oportunidades en su profesión de visitadora médica. Por otra parte, cada vez que su marido aparcaba en el garaje, se deshacía en halagos por lo maravillosa que era. Los niños parecían estar más tranquilos y llevarse mejor que nunca entre ellos. Al final, Pam puso toallas con adornos de flores y varias plantas en el cuarto de baño.

Las palomitas en el aseo fueron el principio de su aventura Feng Shui. A partir de ese momento, unió sus fuerzas con las de su casa y, paso a paso, llevó la armonía a los dos mundos, el visible y el invisible. Ahora, su frase favorita es: «Otro día en el paraíso».

Actos de valor Feng Shui

Abrir los «ojos Feng Shui» y observar atentamente lo que refleja de nosotros nuestra casa es un verdadero acto de valor. En general, conduce a reflexiones extraordinarias, llamadas inmediatas a la acción y cambios internos y externos que confieren mucha fuerza. Los descubrimientos también te pueden resultar agotadores y abrumadores. A medida que correlacionas la organización de tu casa con tus metas y deseos, distingues lo que fortalece y activa de lo que debilita y empobrece tu bienestar.

En la historia anterior, mi cliente veía reflejos de su «mentalidad de pobreza» justo en el centro de varias habitaciones de su casa. Se dio cuenta de que no podía abrir sus «ojos Feng Shui» de pronto, mirar brevemente a través del reflejo de su hogar y luego volver a cerrarlos y vivir felizmente por siempre jamás. Para sanarse y fortalecerse, tuvo que meterse de lleno en ese reflejo y participar. Para medrar tenía que cambiar las zonas y pertenencias de su casa que mantenían la confusión, la tensión y la pobreza de su vida interior. Cada habitación le ofrecía una oportunidad de verse a sí misma. Cuando no le gustaba lo que veía, lo cambiaba, para que su hogar fuera un lugar donde siempre reinaran la prosperidad, la felicidad y la fuerza. Eso fue un acto de valor.

1

Principios y directrices para vivir según el Feng Shui

Estamos atrapados en una inseparable red de reciprocidad, tejidos en una única malla del destino. Cualquier cosa que afecte directamente a alguien, nos afecta a todos indirectamente.

MARTIN LUTHER KING, Jr.

Hay tres principios básicos en el Feng Shui que nos proporcionan las pautas para vivir. Integrarlos en nuestra vida nos ofrece una nueva visión del mundo y un modo de relacionarnos con él cargado de fuerza.

Principio I: Todo está vivo, todo tiene chi

El primer principio de la filosofía del Feng Shui es que todas las personas, todos los lugares y todas las cosas están vivos gracias a la energía vital que denominamos chi. Este concepto que lo abarca todo hace que, en vez de vivir en un mundo en su mayor parte inanimado, vivamos en uno completamente vivo.

Cuando vemos que nuestro mundo está compuesto por «seres» animados, tomamos las decisiones de forma distinta que cuando vemos las cosas como objetos inanimados. La destrucción indiscriminada de nuestro mundo natural, así como la acumulación de grandes cantidades de bienes materiales que no apreciamos ni necesitamos, sólo puede producirse cuando creemos que no son más que «basura». Cuando sentimos la vida en todas las cosas que nos rodean, incluso en el suelo que pisamos y en nuestras pertenencias, nos vemos obligados a ser respetuosos. Tendemos a hacer las cosas más despacio, a tratarnos a nosotros mismos y tratar a los demás, a la naturaleza y nuestras pertenencias con dignidad, conscientes de que todo está cargado de energía vital.

Amplía tu concepto de vida: Cuando empecé a estudiar Feng Shui, sabía que mis amigos y las plantas de mi casa estaban vivos, pero no era consciente de que todo lo demás —obras de arte, muebles, ropa de la casa, vestidos, zapatos, ordenador, coche, joyas— también lo estaba. Pasé de tener un montón de objetos inanimados a estar rodeada de un extenso grupo de cosas vivas. Las moléculas danzantes de mis pertenencias estaban impregnadas de mis pensamientos, sentimientos, recuerdos y asociaciones. No podía moverme por mi casa sin recibir las impresiones de los objetos que me rodeaban, impresiones que durante una etapa de mi vida favorecieron o entorpecieron mi experiencia de la vida.

Por ejemplo, en la cocina tengo una mesa de madera que era de mi abuela. Además de la composición molecular de la propia madera, la mesa está viva, cargada de los cálidos recuerdos de la cocina de la abuela y de su adorable presencia en mi infancia. Todavía puedo ver a mi hermana sentándose muy erguida a la mesa, los sábados por la mañana, pidiéndole a la abuela para desayunar puré de patatas y helado que ella siempre le servía encantada. Habíamos disfrutado de innumerables meriendas en aquella mesa, con las selectas tazas de té de porcelana china de la abuela.

La mesa continúa recogiendo recuerdos de mi vida cotidiana en la cocina. Cuando me siento, acuden a mi mente decenas de recuerdos y sentimientos: las perezosas mañanas de los domingos, con papeles esparcidos por la mesa, haciendo collages con los amigos, y las tranquilas cenas a la acogedora luz de las velas. Estas imágenes y sentimientos me dan fuerza y me recuerdan que he de relajarme y disfrutar de los preciosos momentos de mi vida.

Todo lo que vive contigo almacena ciertos recuerdos, asociaciones y sentimientos. Por eso en el Feng Shui es tan esencial evaluar la carga que llevan tus pertenencias. ¿Qué te están «diciendo»? La calidad de tu vida interior se ve constantemente influenciada por lo que estás manteniendo vivo a tu alrededor. Al igual que mi mesa, los sentimientos y recuerdos pueden ser de buenos tiempos y momentos deliciosos o contener un mensaje mixto.

Un amigo me regaló hace mucho tiempo un libro de poesía al que le tengo mucho cariño; me encanta la poesía y guardo buenos recuerdos de mi amigo. Pero hace unos años él y otros amigos murieron en un accidente de coche, de modo que, cuando miro el libro, siento amor y pérdida al mismo tiempo. Para mí era importante sopesar si los sentimientos y recuerdos que el libro mantenía vivos favorecían mi sensación de bienestar en la actualidad o, por el contrario, me deprimían. En este caso, el libro conserva el recuerdo de mi amigo con vida y eso me gusta. Por consiguiente, he optado por conservarlo, consciente de que mi energía se refuerza cada vez que lo veo.

En otras ocasiones no es así. Por ejemplo, cuando mi amiga Susan inició un complicado proceso de divorcio, el sofá de su salón se convirtió en una zona bélica. Cada vez que se sentaba en él, la asediaba una oleada de recuerdos desagradables. Era a la vez la feliz recién casada y la traumatizada divorciada. El sofá estaba vivo con sus sentimientos respecto a su matrimonio, que ya era historia en todas partes salvo en su mente, en sus emociones y en su salón. El trabajo interno de Susan consistía en dejar atrás el pasado y sanar su dañada autoimagen. En este caso, el trabajo externo consistía en comprar un sofá nuevo.

En cuanto compró uno nuevo, que estaba vivo con el chi de los comienzos, y se deshizo del viejo, empezó a tener mucho más control sobre su vida. Se sorprendió al comprobar que el mueble afirmaba un nuevo capítulo en su vida. Le resultaba mucho más fácil relajarse, gozar del momento y olvidar el pasado. Esto la llevó a pensar si tenía otros objetos que guardaban recuerdos y sentimientos vivos que ella ya no quisiera, y para comprobarlo lo puso todo a prueba. Ella lo llamó «la prueba de la autoestima». Si el objeto la hacía sentirse bien, lo guardaba. Si no era así, lo tiraba. Tras su experiencia con el sofá, estaba más que dispuesta a deshacerse de aquellos objetos que notaba que debilitaban su autoestima y a reemplazarlos por cosas que la ayudaran a afirmarse. Cambió una silla que le traía recuerdos tristes de su niñez y varias imágenes que representaban mujeres con aspecto de sentirse solas.

Los cambios que llevó a cabo en su entorno continuaron reforzando su trabajo interior. Se integró en un grupo de mujeres que realizaban un trabajo interior de hacer las paces con el pasado, escribían un diario y meditaban todos los días. Con el paso del tiempo, la autoconfianza y el amarse a sí misma se convirtieron en compañeros inseparables de Susan, que se sentía mejor que nunca.

Uno de los principales objetivos del Feng Shui es que nos rodeemos de «afirmaciones ambientales», cosas vivas con pensamientos, sentimientos, recuerdos y asociaciones que afirman la vida. Cuando diseñas el entorno para que refleje tu estado de conciencia ideal, estás abriendo las puertas para que la felicidad, la salud y la prosperidad residan siempre contigo. Lo diseñas con un propósito y una dirección para proteger tu propio estado de gracia personal.

Principio II: Todo está relacionado entre sí gracias al chi

El segundo principio del Feng Shui es que todas las personas, todos los lugares y todas las cosas están relacionados entre sí gracias al chi. La energía que nos conecta a nuestro entorno personal abarca todo el planeta. Energéticamente no existe el aislamiento. Aunque nuestras conexiones suelen ser más fuertes con las personas, los lugares y las cosas que tenemos cerca, en esencia estamos relacionados con todos los seres animados e inanimados de la Tierra.

La conexión con nosotros mismos y con los demás: Los conflictos no resueltos reducen la calidad de las relaciones. Puesto que en nuestra cultura creemos que nos podemos aislar de nuestros pensamientos y sentimientos, así como de los demás, no siempre somos conscientes de la importancia de resolver los conflictos internos y externos. Cultivar buenas relaciones con uno mismo y con los demás puede parecer insignificante. Por eso, ¿qué más da si te enciendes cada vez que entra tu jefe, tienes unos vecinos detestables o te deprimes cuando te miras al espejo? Puede que tengas clientes desagradables, miembros de la familia con trastornos psicológicos o compañeros de trabajo conflictivos. Si crees que no tienes una conexión básica con la persona o la situación «problemática», quizá no estés motivado a mejorar tus sentimientos respecto a ella. Esto cambia notablemente cuando se practica el Feng Shui. Las reacciones, sentimientos y acontecimientos negativos, que supuestamente no son muy importantes, pero que a menudo se repiten y se quedan sin resolver, se van acumulando, perjudican nuestra calidad de vida y al final acaban dejando huella.

Practicar el Feng Shui a veces requiere una actitud de adaptación. Dado que en esencia estamos conectados con todos los seres humanos, lugares y cosas, una de las metas primordiales del Feng Shui es introducir pensamientos, palabras y actos curativos en todas las facetas de nuestra vida. Quizás descubras que tu espacio interior contiene algunos puntos de vista negativos acerca de ti mismo y de los demás. Todas las relaciones —desde la que mantienes con tu cónyuge hasta la que mantienes con el dependiente de la tienda de comestibles— son vitalmente importantes. Para bien o para mal, nuestra conexión con la gente —especialmente con aquellas personas con las que tenemos o hemos tenido más contacto— repercute en nosotros y nos afecta en todos los aspectos de la vida. Si reconocemos la conexión entre las relaciones y la calidad de vida, es esencial que practiquemos la generosidad, la compasión, la honestidad y el perdón con respecto a nosotros mismos y a los demás.

Cuando una vecina de mi amigo Adam, una anciana, ya no pudo seguir arreglando su jardín, él decidió rastrillarle las hojas. Otro vecino se dio cuenta de lo que estaba haciendo y se ofreció a ponerlas en bolsas. Luego se unió un tercer vecino para podar el seto. Cuando la mujer vio a este trío de buenos samaritanos por la ventana, se apresuró a preparar refrescos para todos. Una hora más tarde, el jardín estaba precioso y todos estaban dentro merendando alegremente. Todo el barrio se sintió más unido por la expresión de generosidad que encerraba ese sencillo acto de camaradería de arreglar el jardín de una persona necesitada.

Las oportunidades de conectar con los demás de forma enriquecedora son infinitas. Saber hasta qué punto estás conectado con otras personas te infundirá el valor necesario para sanar viejas heridas, decir la verdad y tener conversaciones sinceras con parientes y amigos. Asimismo, trátate con más amor o quizá con una amorosa disciplina. Considera prioritario hacer todo lo necesario para reinstaurar la armonía y el equilibrio en todas tus relaciones, consciente de que tu calidad de vida depende de ello.

La conexión con nuestros bienes: La calidad de nuestras relaciones no termina con la gente. También estamos íntimamente vinculados a todo aquello que nos rodea. La meta es darnos cuenta de todas las cosas con las que tenemos una conexión, es decir, todo lo que poseemos. Si sólo tuviéramos cinco o seis cosas, no habría problema, pero en nuestra cultura la mayoría tenemos miles de cosas. Para estar conectados con todas ellas, hemos de deshacernos de lo que nos sobra y organizar el resto. Esto incluye todos los trastos de los rincones y escondrijos que no consideramos «lugares», como garajes, sótanos, desvanes, roperos, cajones y armarios. En el Feng Shui todos cuentan.

¿Por qué vale la pena dedicar un tiempo a simplificar y organizar nuestras cosas? Porque reflejan nuestro mundo interior, que es el que rige las condiciones externas de la vida. El orden y la armonía externos reflejan el orden y la armonía internos, al igual que el desorden y el caos externos reflejan el desorden y el caos internos. Esto no significa que hayamos de tener una vida de privaciones, sino todo lo contrario. El bienestar material suele aumentar con el orden. Deshazte de los objetos que ya no quieres o no necesitas y observa cómo florecen tu claridad interior y tus oportunidades exteriores.

Las múltiples facetas de la vida: Cada faceta de la vida está relacionada con todas las demás, al igual que sucede con las de una piedra preciosa. No puedes separar la salud de la economía, la economía de las relaciones, ni las relaciones de la creatividad. Por lo tanto, la calidad de cada faceta es igualmente importante para el equilibrio general de la vida. Un trabajo que provoca mucho estrés mina las relaciones, la vitalidad física y la visión general de la vida, incluso después de las cinco de la tarde y durante los fines de semana. Nuestra meta es pulir todos los aspectos de la vida para conseguir el mismo brillo, de modo que cada uno refleje la belleza del otro.

Principio III: El chi de todas las cosas siempre cambia

Somos testigos del cambio que se produce en el cuerpo, las relaciones, el nivel de energía, el estado mental, las emociones y la naturaleza. Lo único constante en nuestro universo físico es el cambio. En el Feng Shui aceptamos el cambio como un regalo. Nos hacemos sus amigos. Acogemos el cambio, lo invitamos, para mejorar continuamente nuestra vida. Mientras estamos vivos, crecemos y cambiamos. Cuando nuestro hogar refleja nuestros cambios, avanzamos armoniosamente.

En nuestra cultura no está muy aceptado ver el cambio como algo positivo. Se supone que siempre hemos de aparentar 25 años, comprar muebles una vez y elegir una carrera a la que podamos aferrarnos durante el resto de la vida. Como bien sabemos, la vida no es así. Hay cambios. Cuando nos hacemos adultos y más sabios, nos casamos, tenemos hijos, nos divorciamos, nos volvemos a casar, volvemos a estudiar, cambiamos de carrera, nos trasladamos, hacemos nuevas amistades, y gracias a todo ello, experimentamos tremendos cambios internos y externos. Cuando estamos totalmente inmersos en el baile del cambio y dejamos que suceda por sí solo, nos sentimos impulsados a reinventar nuestra casa para reflejar nuestra evolución personal.

Momentos mágicos de cambio: De vez en cuando hay momentos mágicos en los que, de pronto, nos damos cuenta de que hay algo en nuestra casa que debemos cambiar. Nosotros hemos cambiado y nuestra casa ya no refleja quiénes «somos». En esos momentos, nos sentimos llamados a renovar nuestro entorno para reflejar y afirmar nuestro nuevo programa interno. Con frecuencia, estos momentos de claridad tienen lugar tras habernos ausentado de casa durante algún tiempo. Volvemos con una nueva perspectiva que actúa como un foco, iluminando todo aquello que ya no es útil o que no refuerza la energía de nuestro espacio. Tú has cambiado, luego tu entorno también necesita un cambio para acoger, apoyar y reflejar con precisión a esa persona nueva que eres.

Por ejemplo, puede que cambies de carrera y que conviertas el cuarto de invitados en un despacho, o que descubras en ti una nueva habilidad y transformes la habitación de matrimonio en un estudio de danza. Te vas al Amazonas o al Himalaya, y cuando regresas has cambiado. A medida que las experiencias del camino te van cambiando, es esencial que actualices tu viaje interno y externo. Cómo lo hagas depende enteramente de ti. Puede que sientas el impulso de pintar el salón de un color oro tierra, de introducir el sonido del agua en tu dormitorio, de crear un espacio para meditar o de retirar alguna obra de arte y colocar grabados tibetanos o tapices colombianos. Cuando sientas la necesidad de cambiar algo en tu casa, es importante que lo hagas lo antes posible. Al hacerlo, te abres a nuevas formas de pensar, sentir y actuar y evolucionas.

Muchos clientes me dicen que, tras haber estado fuera una semana, se ven fuertemente impulsados a cambiar algo de su entorno cuando regresan a casa. Los cambios pueden ir de un vasto proyecto de remodelación a un pequeño detalle decorativo en una habitación. Los clientes con pocos medios económicos siempre pueden hallar formas de cambiar su hogar con objetos que representen su viaje interior: una flor natural en un jarrón, una vela nueva o un collage hecho de recortes de revistas. Sea lo que sea, las personas que renuevan su entorno están siguiendo su instinto de poner su casa a la altura de su crecimiento y desarrollo interiores. Por otra parte, las personas que ven la necesidad del cambio, pero lo dejan todo como está, a menudo descubren que su hogar y su vida se estancan y desvitalizan. El chi se estimula y se nutre con el cambio. Si no seguimos nuestro instinto de cambio, al final la vitalidad de nuestro hogar se desvanece.

Aceptar el cambio: Cambiar el espacio vital afirma y apoya la nueva personalidad, mientras que la ausencia de cambios deja los viejos patrones donde están. En casa, mi esposo, Brian, y yo cambiamos nuestros respectivos despachos de vez en cuando para adquirir una nueva visión del mundo. Mi despacho me «grita» cuando ha llegado el momento de cambiar, y los cambios que hago no tienen que ser para siempre. El Feng Shui nos invita a alegrarnos con el cambio, a adoptarlo y a permitir que lo que nos rodea crezca y evolucione con nosotros. Deja que la chispa creativa de tu espíritu brille libremente y disfruta del momento, consciente de que el cambio es tu aliado.

Los nuevos cimientos

El Feng Shui sostiene que todas las personas, todas las cosas y todos los lugares de nuestro mundo físico están vivos, se interrelacionan y cambian constantemente. Vivimos en un mundo dinámico donde todo importa, personas y cosas, y donde cada momento es único. Para atraer lo mejor a nuestra vida, creamos nuestro hogar de modo que sea una fuente constante de inspiración y de rejuvenecimiento. Al hacerlo, paso a paso, nuestro hogar se convierte en nuestro paraíso personal. Creo que es un derecho que tenemos desde el momento de nacer si optamos por reivindicarlo.

Las tres directrices prácticas nacidas de los tres principios básicos nos ayudarán a elegir y a tomar decisiones que incorporen la sabiduría eterna del Feng Shui.

Directriz práctica I: Vive con lo que te gusta

Una de las acciones más poderosas que podemos realizar es vivir con lo que nos gusta. Cuanto más lo hagamos, mejor. Mira con «ojos Feng Shui» cuando diseñes, decores y organices tu casa y piensa si realmente te gusta lo que has elegido. Ahórrate el exceso de diseños sin gracia reflexionando, siendo creativo y tremendamente meticuloso. Elige lo que te gusta, aunque no sea lo que sugiere una revista de decoración. Cuando no tienes más remedio que vivir con algo que no te gusta, aumenta su energía colocándole cerca alguna cosa que te alegre el corazón. Por ejemplo, tuve que convivir durante un tiempo con un sofá gris que no era precisamente mi color favorito. Para que me funcionara, envolví el respaldo con una hermosa tela. Los rojos fuertes y los dibujos pintados a mano de la tela combinaban con el sofá, y viví felizmente con él hasta que pude reemplazarlo por el que realmente quería.

Afirmaciones ambientales: Mientras ordenas tus cosas, pregúntate: «¿Me gusta esto?». Es una gran forma de ordenar tus pertenencias y decidir cuál te pertenece realmente y cuál no. Imagínate por un momento que estás rodeado de cosas enriquecedoras, rejuvenecedoras e inspiradoras. Si fuera así, todo cuanto hay en tu casa sería una afirmación ambiental.

Evidentemente, esta visión es totalmente nueva para muchas personas. Una de mis clientas estuvo a punto de desmayarse cuando reconoció que no le gustaba ni una sola cosa de su casa. Su casa era funcional y bastante bonita, pero, ¿le gustaba a ella? ¡No! Empezó por incorporar un objeto de su agrado en su entorno. Como la tela roja que puse en el sillón gris, esto inició el proceso de mover el chi hacia la excelencia. Tanto si empiezas por poner una planta con flores como si lo haces por comprar muebles nuevos y cómodos, sigue quitando las cosas que no te gustan y sustituyéndolas por las que te gustan hasta que alcances tu meta. Cuanto más vivas con lo que te gusta, más emocionante y afirmativa será tu vida.

Compartir el espacio con los demás: ¿Qué haces cuando vives con otros que no comparten tus gustos? Reivindica una habitación o un rincón que sea sólo para ti y llénalo con las cosas que te gustan. Anima a los demás a que hagan lo mismo. A las parejas y familias con distintos gustos les suele resultar más fácil diseñar habitaciones compartidas cuando cada uno tiene un lugar exclusivo que puede considerar suyo.

Directriz práctica II: Concede prioridad a la seguridad y la comodidad

Concede prioridad a la seguridad y la comodidad cuando tengas que diseñar, decorar y ordenar tu casa. Normalmente nos fijamos más en la estética, y si la comodidad y la seguridad entran en el lote es un extra. Esto sucede mucho en la moda, especialmente la femenina. Por ejemplo, una mujer puede estar espléndida con un traje de noche, pero asfixiándose o al borde de la congelación según cómo sea el diseño. Para rematar el conjunto, unos imponentes zapatos de tacón alto y la desdicha está asegurada. Está encantadora, sí, pero ni segura ni cómoda. Las necesidades básicas del cuerpo se suelen pasar por alto en favor de la estética.

Nuestra especial predilección por la belleza también se refleja en la industria del mueble. Muchas personas se sientan en preciosas sillas que no se adaptan al contorno del cuerpo. Los muebles bonitos que tienen esquinas puntiagudas o muchos salientes no pasan la prueba de seguridad del Feng Shui. El uso abusivo de esquinas puntiagudas en la arquitectura puede socavar nuestra necesidad instintiva de comodidad y seguridad. La mayoría estamos tan acostumbrados a la incomodidad que ya casi no nos damos cuenta. Para poner de relieve este aspecto, suelo preguntar a mi audiencia: «¿Quién no se ha sentado nunca en una silla incómoda?». Nunca ha levantado la mano nadie. Exigir comodidad y seguridad no es irracional. De hecho, en el Feng Shui insistir en la comodidad y la seguridad ambiental se convierte en algo esencial para conseguir el equilibrio y la armonía en toda nuestra vida. A medida que diseñamos nuestra casa para que sea cómoda y segura, nace un nuevo tipo de belleza que la convierte en un lugar tremendamente acogedor, sanador y sensual.

La prueba de la seguridad y la comodidad: Somete a tu casa a una prueba de seguridad y comodidad. Busca en los muebles y objetos decorativos esquinas en punta y salientes con los que puedas hacerte daño en la espinilla, los dedos de los pies y otras partes del cuerpo. He estado en casas donde todos los miembros de la familia se han cortado o hecho moraduras con los muebles o con algunas estructuras arquitectónicas afiladas como cuchillos. Lo más sorprendente es que en la mayoría de los casos a nadie de la familia se le ocurre hacer nada para evitar estos peligros, a menos que estén a punto de tener un bebé. Para asegurarte de que tu hogar es cómodo y seguro, ponlo a prueba de bebés.

En el Feng Shui, la seguridad también incluye la colocación de los objetos en una habitación. Siempre que sea posible, coloca las camas y los asientos de modo que puedas ver la puerta desde ellos. No subestimes el poder que tiene colocarse en la posición de mando de una habitación. Esto suele verse en la organización de los muebles en los despachos de los altos ejecutivos. ¡Jamás se les ocurriría sentarse dando la espalda a la puerta! Los asientos desde los que no se ve la puerta son para los visitantes y los subordinados, mientras que el jefe ocupa el asiento de poder. Cuando coloques tus muebles, recuerda que sentarte mirando a la puerta es la situación más segura, cómoda y poderosa de la habitación.

El Feng Shui suele tener en cuenta cosas que parecen pequeñas y que el ojo del novato fácilmente puede pasar por alto. Se van sumando pequeños detalles, como estar de espaldas a una puerta, chocar contra esquinas puntiagudas o sentarse en una silla incómoda, que, al igual que el agua al gotear sobre una piedra, acaban dejando una huella permanente en el cuerpo, la mente y el espíritu.

Directriz práctica III: Simplifica y organiza

Uno de los mayores retos en nuestro mundo de abundancia es simplificar y organizar nuestros bienes. Una de mis colegas está convencida de que sus cosas se reproducen por la noche, especialmente las que tiene almacenadas. Donde antes había una, ahora tiene doce. Los garajes abarrotados, sótanos, desvanes y armarios roperos suelen ser muestras del exceso que hay en las casas.

El desván de mi familia siempre fue una zona catastrófica, ya que muchas cosas eran lanzadas allí desde la escalera. Como consecuencia de ello, era extraordinariamente molesto subir por la escalera para buscar algo. Todavía recuerdo las maldiciones que profería mi padre mientras andaba por el desván dándose golpes en busca de la maleta que necesitaba. Y el sótano era un auténtico vertedero cubierto o almacén de ferretería, donde yo sudaba tinta china cuando papá me enviaba a buscar una herramienta. Recuerdo perfectamente que jamás encontraba lo que me pedía. En los cajones de casa había de todo menos lo que yo necesitaba cuando buscaba algo.

Cuando empecé a practicar el Feng Shui, tuve que aprender habilidades nuevas, como simplificar y organizar bien mis cosas. Descubrí todo tipo de desorden en mi espacio: montañas de papeles, cajones con vestidos rotos y estantes con porcelana china antigua y ropa de cama, cosas que no me gustaban o no quería y que hacía mucho tiempo que no usaba. Guardaba todo eso porque no me daba cuenta de que mi vasta colección de trastos estaba congestionando el flujo de la energía vital en mi vida.

Cuando empecé a tirar cosas, me di cuenta de que empezaba a suceder algo mágico: cuantas más cosas viejas tiraba, más cosas nuevas recibía en forma de maravillosas pertenencias y nuevas oportunidades que realmente quería y necesitaba. Simplifiqué y organicé mi armario, di bolsas de ropa y poco después encontré la ropa nueva perfecta. Cuando me invitaban a algún acontecimiento, llevaba mi ropa nueva, conocía a personas interesadas en mi trabajo y mi negocio crecía. Miraba en mis armarios y me deshacía de cosas que ya no necesitaba, y lo que necesitaba o deseaba pronto aparecía en mi vida. Era totalmente previsible.

Caos activo, creatividad en movimiento: El caos forma parte de la sal de la vida. Las rachas de actividad creativa, con todo el desorden que conllevan, tienen lugar todos los días. Para crear una nueva obra maestra se produce un natural y necesario derroche de materiales. Podemos verlo en las pinturas y los pinceles esparcidos alrededor del pintor, en los libros de referencia apilados en torno al escritor y en los tarros y cazuelas que se encuentran en las cocinas. Sabes que el caos está activo porque te sientes atraído hacia él. Algo —un cuadro, un libro, una comida— se va a crear. Percibes la naturaleza dinámica de la creatividad y deseas saborearla, olerla, verla y regocijarte en su vitalidad. Tanto si se trata de un proyecto como de una salsa o un jardín nuevos, el caos activo genera entusiasmo. La clave para mantener vivas la ilusión y la creatividad es «estar al día» y reorganizar el espacio y los materiales entre los brotes de creatividad.

Caos pasivo, creatividad perdida en el desorden: El caos que dura mucho tiempo se vuelve pasivo, se estanca y cambia el escenario. No se crean obras maestras en un estudio lleno de pinceles secos y pinturas derramadas, ni tampoco en una cocina llena de platos sucios y sartenes grasientas. Cuanto más tiempo mantengamos «el desorden», más se deteriorará el chi y la oleada de creatividad se detendrá. La creatividad languidece en un escritorio abarrotado, en una cocina caótica y en un porche trasero lleno de trastos. Aun cuando en las habitaciones no reine el caos pasivo, revisa los trasteros. Allí, el reino del caos pasivo puede incluir montañas de catálogos, regimientos de viejas latas de pintura oxidadas o junglas de juguetes de niños que dejaron de serlo hace doce años. El caos pasivo anida en los garajes, roperos, sótanos y desvanes, bien guardado tras las puertas cerradas. El Feng Shui te invita a abrir todas las puertas y echar una mirada. El caos pasivo es fácil de reconocer. Ante su presencia, la creatividad se derrumba y no puede volver a florecer hasta que se pone remedio a ese enorme y viejo desastre. Tanto si está detrás de una puerta como si no, el desorden y el caos absorben nuestra vitalidad; por eso suele resultar tan difícil enfrentarse al desorden y convertirlo en orden. A pesar de ello, se ha de hacer. Es útil darse cuenta de que, a medida que vamos eliminando las pequeñas cosas que crean el caos pasivo en nuestra casa, estamos invitando a que tenga lugar la transformación. Devolvemos la vida a nuestra creatividad e imaginación.

Hay siete preguntas que podemos hacernos cuando estemos ordenando nuestras cosas para que nos ayuden a eliminar el caos pasivo y a establecer un nuevo orden.

SIETE PREGUNTAS PARA «FACILITAR EL CAMINO»

1. ¿Me gusta?
2. ¿Lo necesito?
3. ¿Refuerza mi forma de ser actual?
4. ¿Me sirve de afirmación ambiental en estos momentos?
5. ¿Qué pensamientos, recuerdos o emociones positivos o negativos le asocio?
6. ¿Hay que repararlo? ¿Voy a hacerlo ahora?
7. Si ha llegado el momento de desprenderme de esto, ¿voy a venderlo, prestarlo o regalarlo? ¿Cuándo?

Elimina el caos pasivo y reclama la creatividad: Organizar las cosas restaura la creatividad y la vitalidad. La motivación surge cuando comprendemos la importancia de limpiar los rincones caóticos del hogar. Observa qué pasa en tu vida a medida que simplificas y organizas. Puesto que todo está relacionado, el sencillo acto de limpiar un cajón puede provocar una onda expansiva y atraer oportunidades positivas. Si no te ves capaz de hacerlo solo, pide ayuda a un amigo o a algún familiar. Si estás demasiado ocupado, contrata a un organizador profesional. Independientemente de cómo lleves a cabo la labor, tu recompensa será una entrada para acceder (o volver a acceder) al dinámico mundo de la creatividad y el caos activo que lo acompaña. El caos activo es una parte integrante del ciclo creativo. El truco está en seguir el ciclo natural hasta el final y llevar a término tus proyectos. Disfruta del viaje desde el principio hasta el final, consciente de que tu expresión creativa renueva tu espíritu, nutre tu hogar y mejora todos los aspectos de tu vida.

Practica el Feng Shui hoy

El mejor momento para practicar el Feng Shui es hoy. Esperar a que llegue la ocasión apropiada es como esperar para empezar a hacer ejercicio o para empezar a comer bien. La energía que se mueve por la casa es de vital importancia para la salud, la prosperidad y la felicidad presentes. Así que empieza hoy mismo, dondequiera que estés, a diseñar tu hogar perfecto, tu paraíso personal. Al fin y al cabo, tanto si la casa es tuya como si no, siempre estás de alquiler, puesto que nada es eterno. No dejes que los planes para el futuro impidan que hagas ahora de tu casa el mejor lugar para vivir. Equilibrar y decorar tu casa actual es una de las acciones más poderosas que puedes realizar para dar energía a tus metas y sueños y convertirlos en realidad.

Los principios del Feng Shui te ofrecen abundantes formas prácticas de producir resultados para equilibrar y mejorar tu vida. Empieza por aunar fuerzas con tu casa. Establece tus intenciones para el cambio positivo con claridad y determinación. Luego pasa a la acción. Investiga tu conexión con las cosas que te rodean. Simplifica y organiza cada rincón y escondrijo a fin de que tu espíritu creativo tenga sitio para manifestarse. Acepta el cambio, vive con lo que te gusta y deja que la comodidad y la seguridad te guíen. A medida que todos vayamos abrazando estos principios, iremos creando juntos el Cielo en la Tierra.

2

El mapa bagua:
Invocar todas las bendiciones

El placer del espíritu se encuentra en el viaje del descubrimiento, en la revelación de la visión interior expandida y de la experiencia.

ANTHONY LAWLOR

Una de las herramientas que da más resultado en el Feng Shui es el mapa bagua. Al relacionar la estructura y el diseño del hogar con las bendiciones de la vitalidad y la buena suerte, el mapa bagua te enseña a invocar el cambio positivo en tu vida. Cuando adoptas seriamente las directrices del mapa bagua, los obstáculos desaparecen, tienen lugar grandes cambios y se manifiestan bendiciones. Trabajar con el mapa bagua es estar en presencia de tu propio destino y decir: «Estoy preparado».

La palabra «bagua» significa literalmente ocho trigramas. Estos trigramas forman los pilares básicos del *I Ching* (El libro de las mutaciones) y están asociados (entre otras cosas) a bendiciones como la salud, la riqueza, el amor y la creatividad. El mapa bagua, o mapa de los ocho trigramas, indica donde se encuentra cada una de estas bendiciones en el hogar. Sirve para descubrir que la buena suerte que ansías —o a la que aspiras— se ve favorecida o reducida en el salón, el dormitorio, el garaje y los armarios. Lo que antes eran dos aspectos de la vida totalmente separados —tu casa y tu «suerte»— se unen formando una poderosa autopista que conduce a un cambio positivo y a bendiciones duraderas.

Figura 2A
El mapa bagua

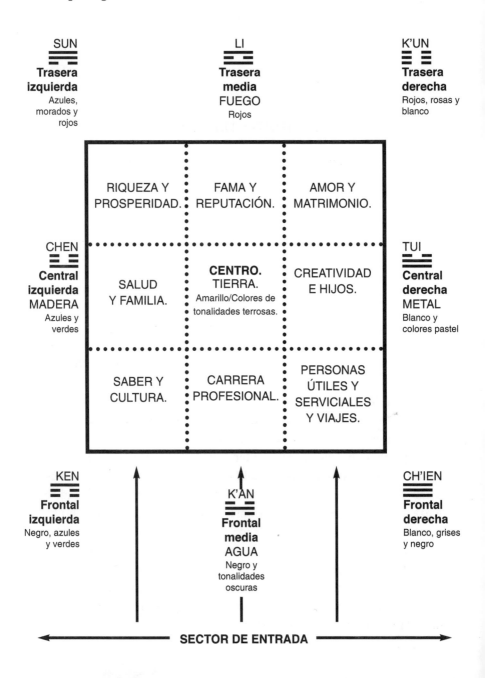

SUN
☴
**Trasera
izquierda**
Azules,
morados y
rojos

LI
☲
**Trasera
media**
FUEGO
Rojos

K'UN
☷
**Trasera
derecha**
Rojos, rosas y
blanco

RIQUEZA Y
PROSPERIDAD.

FAMA Y
REPUTACIÓN.

AMOR Y
MATRIMONIO.

CHEN
☳
**Central
izquierda**
MADERA
Azules y
verdes

SALUD
Y FAMILIA.

CENTRO.
TIERRA.
Amarillo/Colores de
tonalidades terrosas.

CREATIVIDAD
E HIJOS.

TUI
☱
**Central
derecha**
METAL
Blanco y
colores pastel

SABER Y
CULTURA.

CARRERA
PROFESIONAL.

PERSONAS
ÚTILES Y
SERVICIALES
Y VIAJES.

KEN
☶
**Frontal
izquierda**
Negro, azules
y verdes

K'AN
☵
**Frontal
media**
AGUA
Negro y
tonalidades
oscuras

CH'IEN
☰
**Frontal
derecha**
Blanco, grises
y negro

← **SECTOR DE ENTRADA** →

La gente ha resuelto muchos problemas utilizando el mapa bagua. Es increíble la frecuencia con la que encuentra una correlación entre el diseño de su casa y sus problemas actuales. Una pareja descubrió que la zona de la riqueza y la prosperidad estaba situada en un cuarto de baño donde las cañerías perdían agua, símbolo de la disminución constante que sufría su cuenta bancaria. Otra pareja descubrió que en su hogar la zona de la carrera profesional se encontraba en el garaje, que estaba abarrotado de trastos, metáfora perfecta de la condición de estancamiento que se manifestaba en su vida profesional. Una mujer soltera se dio cuenta de que su zona del amor y del matrimonio estaba situada en un porche trasero lleno de macetas vacías y plantas muertas, símbolos de su vacía y muerta vida amorosa.

Por último, el mapa bagua nos permite descubrir que todas las partes de nuestra casa y de nuestra vida son igualmente importantes. Todas las zonas interiores y exteriores necesitan un buen mantenimiento, estar ordenadas y organizadas de modo que se pueda fluir por ellas con facilidad, belleza y gracia. Para adoptar el Feng Shui en toda su magnitud, es preciso que nos centremos en el correspondiente trabajo interior, a la vez que mejoramos nuestro hogar y le damos vida. Busca tu espíritu. Haz algunas «mejoras en tu hogar» interior. Cuando trabajas con el mapa bagua de este modo, creas un flujo de energía vital en ti mismo y en tu hogar. Esto produce a su vez resultados más satisfactorios y duraderos y atrae las bendiciones a todas las áreas de tu vida.

Traza el mapa bagua de tu casa

Figura 2B
Para trazar el mapa bagua necesitas un plano de tu casa.

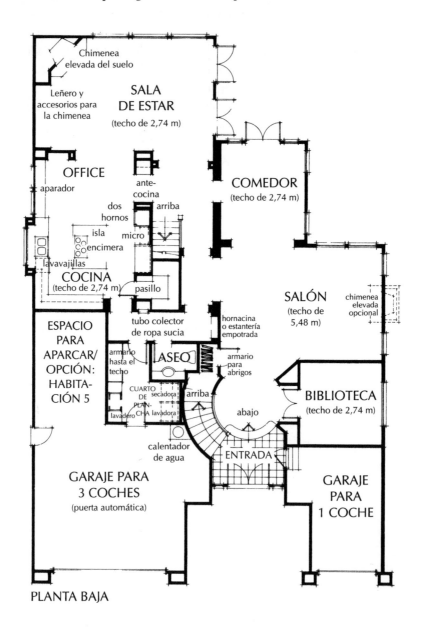

PLANTA BAJA

Figura 2C
Divide el plano en nueve secciones iguales, como si fuera un tablero de tres en raya, y nombra cada zona como se indica en la figura 2A.

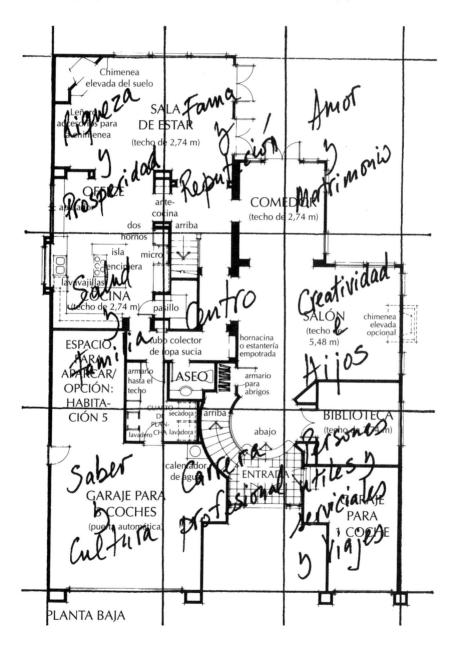

PLANTA BAJA

Figura 2D

Traspasa el mapa bagua de la planta baja a las plantas superiores e inferiores, incluidos los desvanes y sótanos, y haz las mejoras correspondientes.

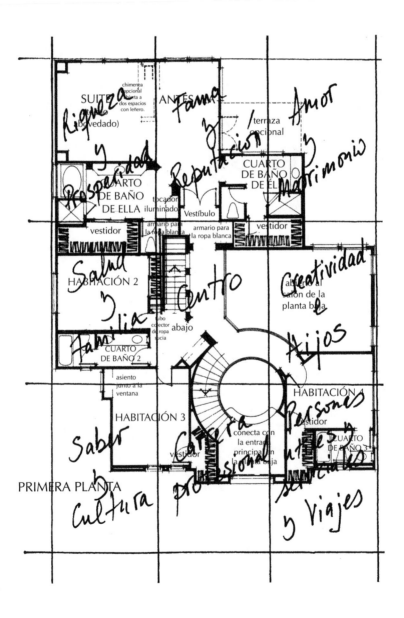

Instrucciones para dibujar el mapa bagua

El mapa bagua se puede aplicar a cualquier forma fija, ya sean edificios, habitaciones o muebles. Estas instrucciones están pensadas para que puedas dibujar el plano de tu casa; una vez comprendas los principios básicos, podrás hacer el plano de cualquier estructura. Necesitarás un plano de la casa vista desde arriba, como el plano o bosquejo de la figura 2B. Especifica la forma general de tu casa incluyendo todas las partes que están unidas a ella: garajes, porches, habitaciones construidas posteriormente, pérgolas, trasteros y terrazas con barandas.

Coloca el plano de modo que la entrada principal quede en la parte inferior de la página (como en la figura 2B). Ahora dibuja alrededor de la casa un rectángulo lo bastante grande como para abarcar todas sus dependencias, tal como muestra la figura 2C. Este es el bosquejo del mapa bagua. Divide el rectángulo en nueve secciones idénticas, como si fuera un tablero para jugar a tres en raya, y ponle el nombre correspondiente a cada una de ellas, como se ve en las figuras 2A y 2C. Este es el mapa bagua completo.

Figura 2E
El croquis básico de la casa rectangular, con su puerta principal situada en la zona del saber y la cultura del mapa bagua, contiene todas las secciones que comprenden la estructura física de la misma.

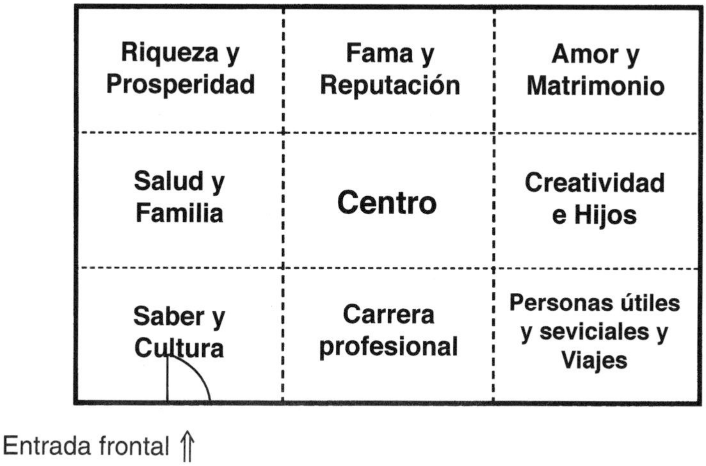

Riqueza y Prosperidad	Fama y Reputación	Amor y Matrimonio
Salud y Familia	**Centro**	Creatividad e Hijos
Saber y Cultura	Carrera profesional	Personas útiles y seviciales y Viajes

Entrada frontal ⇑

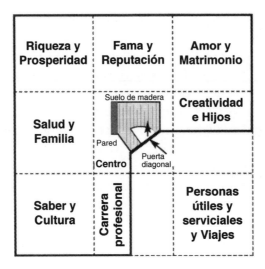

Figura 2F

Este es un bosquejo de una casa con una puerta principal en diagonal. La pared del recibidor, el tipo de suelo y la dirección en que se abre la puerta ayudan a determinar cómo trazar el mapa de la casa.

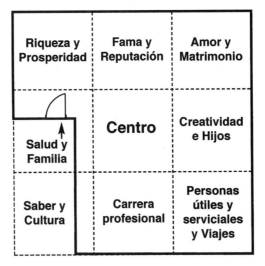

Figura 2G

Esta puerta en segundo plano está situada en la zona de la salud y la familia del mapa bagua de esta casa. Observa que una parte de las zonas de la salud y la familia y del saber y la cultura se encuentra fuera del edificio.

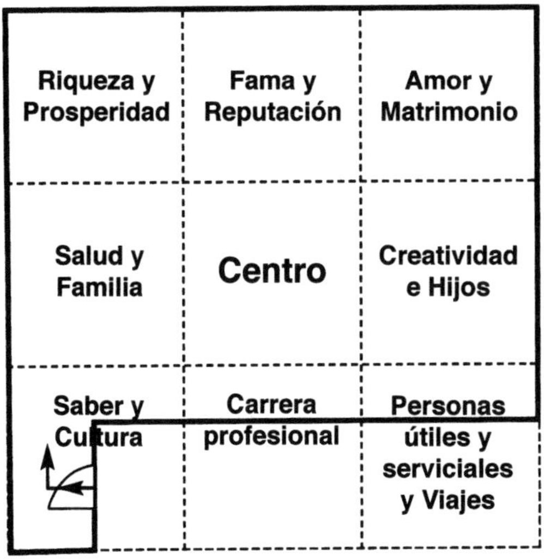

Riqueza y Prosperidad	Fama y Reputación	Amor y Matrimonio
Salud y Familia	**Centro**	Creatividad e Hijos
Saber y Cultura	Carrera profesional	Personas útiles y serviciales y Viajes

Figura 2H

Cuando la puerta principal está en segundo plano, se gira el mapa bagua para que encaje con la estructura principal de la casa, tal como vemos aquí. Observa que parte de las zonas del saber y la cultura, de la carrera profesional y de las personas útiles y los viajes no está presente en este edificio.

Si tu casa es un sencillo rectángulo (figura 2E), descubrirás que todas las secciones del bagua se encuentran dentro de su estructura. Si tiene otra forma (de L, S, T o U) verás que hay zonas que están dentro del mapa bagua pero fuera de la estructura de la casa. Tanto si está fuera como dentro de la casa, es muy importante determinar la localización de todas las zonas o *guas*. Por ejemplo, a la casa de las figuras 2B, 2C y 2D le falta gran parte de la zona del amor y el matrimonio, así como de las zonas de la carrera profesional y de las personas útiles y los viajes.

ACLARACIONES

1. No te preocupes por la situación de las paredes en el interior de la casa. Tal como puedes observar en la figura 2C, a veces una habitación grande comprenderá varias zonas bagua o una zona abarcará dos o tres habitaciones pequeñas.

2. Si tu casa tiene más de una planta, traspasa en parte o en su totalidad el mapa bagua de la planta baja directamente a los otros pisos situados arriba o abajo, tal como se ve en la figura 2D. Tener varias plantas nos ofrece múltiples oportunidades de mejorar ciertas zonas bagua de nuestra casa, pero sólo nos hemos de preocupar de completar la planta baja.

3. Cuando la puerta principal esté en diagonal, podemos utilizar paredes, suelos o la primera dirección que veamos al abrir la puerta para determinar cómo vamos a trazar el plano de la casa, tal como se indica en la figura 2F.

4. Cuando la puerta principal no esté en la fachada principal, puede que tengas que entrar en la casa por las zonas de la salud y la familia, del centro o de los hijos y la creatividad del mapa bagua, como en la figura 2G. Si la puerta principal está situada en segundo plano, gira el mapa bagua para que encaje con la estructura principal de la casa, como en la figura 2H.

5. Puesto que la casa es más grande que cada habitación por separado, contiene más chi. Por consiguiente, trabaja primero en el mapa bagua de la casa y luego en el de cada habitación.

6. Consulta con un experto en Feng Shui si deseas hacer un mapa bagua de tu casa.

Zonas que faltan del mapa bagua

Cuando hay zonas del bagua que se encuentran fuera de la estructura física de tu casa, es importante definirlas y mejorarlas de algún modo. Para ello, basta con poner un farol, un árbol ornamental o una gran estatua donde tendría que estar una zona si la estructura fuera rectangular. Los accesorios que utilicemos para realizar las mejoras, como mástiles, grandes rocas redondeadas, árboles, vallas, fuentes artificiales y esculturas, se pueden agrupar para mejorar una zona y activar el chi dentro y fuera de la casa. También se puede llenar una *gua* construyendo una terraza, un patio, una pérgola o una habitación. La finalidad es crear o completar una zona ausente con algo significativo que esté en armonía con tu casa, tal como se observa en las figuras 2I y 2J.

Figura 2I

Foto de la zona del amor y el matrimonio, correspondiente al plano que aparece en la figura 2B y realizada poco después de que los nuevos propietarios se trasladaran a esta casa.

Figura 2J

Para crear la zona del amor y el matrimonio, la pareja eligió plantar un olivo como símbolo de la fuerza y longevidad de su amor. Un gran macetero de obra rodeado de flores realza la zona. También construyeron zonas exteriores (terraza y porche cubierto) en ambas plantas, para realzar la belleza y funcionalidad de la zona del amor y el matrimonio.

Personaliza tus elecciones

Siempre que puedas, elige objetos y diseños que estén relacionados con la zona bagua en la que estés trabajando. Tal como se muestra en la figura 2J, el olivo se eligió para representar la fuerza y duración del amor de la pareja, mientras que el macetero de obra y las flores aportan belleza y color. Las zonas exteriores (terraza y porche cubierto) tienen rincones íntimos para que puedan estar sentadas dos personas. En la zona de la carrera profesional, que se muestra en la figura 5C de la página 127, hay una gran fuente que eligieron para potenciar su vida profesional. Las posibilidades creativas que puedes hallar a medida que afianzas las zonas bagua que están fuera de la estructura de la casa son infinitas.

Cuando no puedes hacer nada en el exterior: No te desanimes si no puedes hacer cambios sustanciales para mejorar el bagua del exterior de tu casa. Hay muchas más formas para completar simbólicamente una *gua* inexistente.

Mejoras simbólicas: Las zonas bagua que faltan se pueden completar energéticamente «plantando» un cristal de cuarzo (u otro objeto significativo) en el lugar donde deberían estar si la casa fuera rectangular (figura 2K). Entierra el cuarzo con la punta hacia arriba a una profundidad de entre dos y cinco centímetros, con la intención de levantar o potenciar el chi. Tu intención, unida al cuarzo, refuerza y respalda la zona que falta en la estructura. Si la zona que falta está asfaltada o embaldosada, utiliza pintura en lugar de cuarzo para marcarla. Puedes ser tan creativo y sutil como gustes, consciente de que tu intención va a influir positivamente en el flujo del chi y de que el acto físico de marcar el lugar lo refuerza.

Figura 2K

Cuando no puedas hacer grandes cambios en el exterior, busca la zona que te falta y entierra un cristal de cuarzo (u otro objeto significativo) con la punta hacia arriba a una profundidad de entre dos y cinco centímetros, con la intención de dar energía a esa zona. Otra opción es pintar en el suelo un círculo o una línea para marcar la zona. En el interior puedes colgar un espejo o una pintura que tenga profundidad en la pared más cercana a la zona que falta. También puedes utilizar plantas, flores, fuentes, cristales o símbolos personales para avivar el chi en dicha zona.

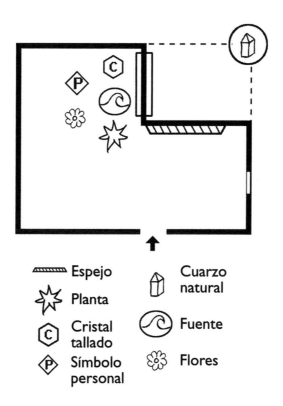

En el interior, cuelga un espejo o una pintura que tenga profundidad en la pared más cercana a la zona inexistente. Esto abre simbólicamente el espacio necesario para incluir lo que falta. También puedes usar cualquiera de las herramientas para activar el chi (capítulo 4), a fin de dar poder a las ventanas y las paredes situadas cerca de las *guas* que no existen. Es asimismo muy importante mejorar y destacar la zona bagua de las habitaciones correspondientes a lo que falta en la estructura de tu casa. Muchas veces, la misma zona que falta en la estructura de una casa también está ausente en las habitaciones. Por ejemplo, en las casas donde falta la zona de la riqueza y la prosperidad suele haber armarios abarrotados, plantas marchitas y objetos que no les gustan a sus dueños en las zonas correspondientes a la riqueza y la prosperidad de las habitaciones. Asegúrate de que no haya ningún objeto en tu casa que ocupe un lugar desfavorable.

Traza el mapa bagua de cada habitación

Para hacer el mapa bagua de una habitación, sigue los mismos pasos que para hacer el de tu casa. Haz un esbozo de la habitación, coloca la puerta principal en la parte inferior de la página, dibuja un rectángulo alrededor de su perímetro, divídelo en nueve secciones iguales y nómbralas según el mapa bagua. Si la habitación tiene más de una puerta, elige la que más utilizas. Si las usas indistintamente, elige una de ellas para hacer el mapa bagua.

Recuerda que lo más corriente es que el bagua de la casa y el de cada habitación no coincidan. La puerta o la entrada a un espacio es la guía para dibujar el mapa bagua, y cada estancia se puede dibujar individualmente y adecuar como corresponda. Por ejemplo, la figura 2L muestra una habitación situada en la zona de la salud y la familia según el mapa bagua de la casa. Sin embargo, como puedes ver, también tiene su propio mapa bagua, de modo que para decorar ese espacio tendrás que tener en cuenta ambos. Si esa habitación se utiliza como despacho, se puede decorar con madera para reforzar su situación en la zona de la salud y la familia dentro del mapa bagua general. Si se emplea como dormitorio, se podría decorar con un cuadro de un jardín o de flores. La situación de la habitación en dicha zona del mapa bagua también la convierte en un lugar excelente para hacer masajes, yoga o gimnasia. Luego, según su función, colocaremos el mobiliario y la decoraremos de acuerdo con el mapa bagua de la habitación.

En la figura 2L, la habitación sirve de despacho para el marido. Pensando en el mapa bagua de su casa, eligió una mesa de madera, una libre-

Figura 2L

La habitación, además de estar en la zona de la salud y la familia (como se ve en la figura 2D), tiene su propio mapa bagua. Cada habitación tendrá su mapa, que puede coincidir o no con el mapa bagua general.

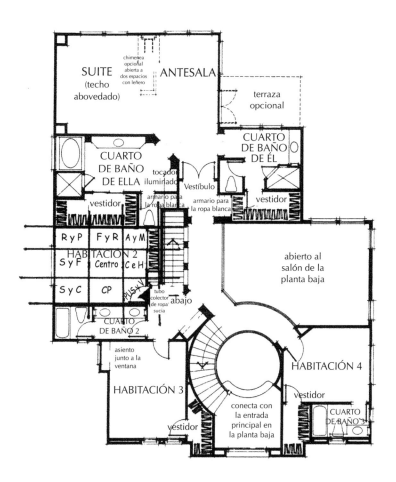

ría y archivadores. Luego se guió por el mapa bagua de la habitación. Colocó la mesa en la zona de los hijos y la creatividad para favorecer sus recursos y ver la puerta y la ventana. El archivador, que situó en las zonas de las personas útiles y los viajes y de la carrera profesional, está provisto de estantes para el material de oficina. Enfrente de la mesa, sobre la librería, colgó fotos de su familia, en la zona de la salud y la familia. Puso una foto reciente de su mujer y él encima del archivador, en la zona del amor y el matrimonio, mientras que unas plantas y una escultura con un motivo acuático llenaban la de la riqueza y la prosperidad. Aquí, en su «central de productividad», es donde prospera su negocio.

Evalúa el perfil de tu mapa bagua

Revisa cada zona bagua de tu casa, luego la de cada habitación, y hazte las siguientes preguntas:

- ¿Qué habitación o área hay en cada zona bagua?
- ¿Qué tengo allí?
- ¿Está ordenado?
- ¿Me gusta todo lo que veo?
- ¿Veo una correlación entre lo que hay en cada zona y mi calidad de vida?
- ¿Qué puedo mejorar?
- ¿Cuál es la primera zona en la que voy a trabajar?

Este proceso puede ser muy revelador. A menudo descubrimos que la condición de las zonas bagua de nuestra casa tiene una relación directa con esa faceta particular de nuestra vida. Una mujer cuya única queja era que no podía dejar de fumar tenía en la zona de la salud y la familia un cactus alargado que se ramificaba en secciones de longitud y anchura similares a las de un cigarrillo. En el tiesto del cactus había un hermoso grabado en madera roja con la forma de una llama.

Otra mujer, cuya mayor preocupación era que su marido trabajaba demasiado y casi siempre estaba sola, tenía en la zona del amor y el matrimonio, situada en su dormitorio, un cuadro de una mujer acongojada, sola y encorvada sobre una mesa de centro, en la eterna postura de espera. Ambos veían el cuadro desde la cama, como un recordatorio constante de la tensión que sufrían en su matrimonio.

Esto sucede continuamente. Los objetos que nos rodean a diario nos dan energía o nos la quitan. Si no nos favorecen, puede que hagan que las situaciones desfavorables no desaparezcan. Una vez se han eliminado, el chi mejora. Cuando la primera mujer sustituyó el cactus por un jarrón de perfumadas flores que afirmaba el entorno, fue capaz de dejar de fumar. En vez de humo, en su nariz y sus pulmones penetraba aroma de rosas y fresas. La segunda mujer cambió el deprimente cuadro de su dormitorio por una romántica escena de una pareja disfrutando de una comida campestre. Al poco tiempo su soledad se transformó en frecuentes comidas y cenas con su marido durante la semana.

En otros casos no es tan fácil. Cuando quieres cambiar algo en tu vida que es mediocre, te hace desgraciado o te estresa, puede que experimentes cierto caos hasta que se establezca el nuevo orden. Por ejemplo, si no estás bien en tu matrimonio y decides mejorar la *gua* del amor y el matrimonio para restaurar la dicha conyugal, lo primero que te habrás de cuestionar es por qué eres infeliz. Al trabajar con el bagua, potenciamos el flujo de chi, y ese aumento en la energía hace salir a la luz todo lo que está oculto. Si aspiras a la excelencia, primero tendrás que acabar con todo lo mediocre.

No hace mucho trabajé para una mujer llamada Nan que sentía un gran estancamiento en su vida. Su diminuto apartamento no tenía ni bañera ni una auténtica cocina, lo cual frustraba sus deseos de disfrutar del baño y de preparar platos exquisitos. Era profesora de yoga, y a pesar de los esfuerzos que hacía para atraer a más alumnos, sus grupos seguían siendo reducidos. Tenía muy claro lo que quería: una casa más grande con una cocina apropiada y una bañera, y clases llenas de alumnos serios.

Cuando hizo el mapa bagua de su piso, se dio cuenta de que las zonas de las personas útiles y los viajes y de la carrera profesional estaban situadas en un triste y pequeño trozo de tierra árida cerca de la puerta principal. Nan abonó la tierra, plantó flores y helechos y realzó la zona con una estatua de san Francisco como símbolo de «personas útiles». También observó sus sentimientos respecto al éxito y se dio cuenta de que permanecer limitada era cómodo porque le resultaba familiar. Para crecer tenía que relacionarse con el éxito de otra forma.

Tres días después, recibió un aviso del propietario de su apartamento comunicándole que necesitaba que lo dejara libre en el plazo de un mes porque él se iba a instalar allí. Al mismo tiempo, se matricularon suficientes alumnos nuevos como para necesitar un local más grande para las clases. El chi se estaba moviendo y, en lugar de sentirse estancada, estaba muy motivada. Los cambios repentinos requerían una tremenda concentración y confianza por su parte. Mientras buscaba una casa y un local más grandes, esa familiaridad con la «pequeñez y la pobreza» se transformó. Seis semanas más tarde, Nan estaba dando clases en un encantador estudio nuevo y vivía en un lugar «celestial»: una espaciosa casita con un solo dormitorio, construida para una persona exactamente como ella. La cocina era luminosa y grande, y la bañera, divina.

Cuando introduces esta antigua ciencia en tu vida, al principio, mientras tus intenciones se abren camino hacia la materialización, puede parecerte que está pasando un torbellino. La vida puede volverse caótica, ya que algunas facetas se reorganizan para reflejar armoniosamente tus metas. Haz el mapa del mar de chi que atraviesa tu casa y dale forma para reflejar quién eres ahora y todo lo que aspiras a ser. ¡Prepárate! Puedo decirte por experiencia propia que las llamadas a los cambios positivos siempre tienen respuesta.

El trabajo interior y exterior relacionado con el mapa bagua

Mientras trabajas con el mapa bagua, dedica un tiempo a complementar tus esfuerzos externos con tu desarrollo personal interno. Observa cómo puedes mejorar tu carácter (lo que no se ve) a la vez que te rodeas de las mejoras y los objetos (lo que se ve) que te gustan. ¡No te conformes con menos! Cuanto más personalices tus opciones, mejor. Recuerda que la combinación del trabajo interno y el externo produce los resultados más duraderos y gratificantes.

Trabajo interior relacionado con la salud y la familia
Palabra clave: *Fuerza*

Las bendiciones de la salud y la familia se asocian al trigrama *Chen* del *I Ching*, que se traduce como «el terrible trueno». Los choques emocionales inesperados o los problemas imprevistos circulan por nuestra vida como las tormentas. Al igual que para aguantar una tormenta nuestra casa ha de estar en buen estado, nosotros también necesitamos un buen mantenimiento. Para ello, es necesario cultivar los dos atributos vitales que fortalecen la vitalidad física y la salud emocional: la sinceridad y el perdón.

La capacidad para ser totalmente sincero te ayuda a conservar unas barreras saludables, entre las que se encuentra saber cuándo una comida, una persona, una situación o un lugar son sanos para ti. Cuando puedes responder sinceramente a las múltiples tentaciones de la vida, tienes en tu mano el poder para decir sí o no. La sinceridad exige que respondas con la verdad y el perdón te encamina a distanciarte de la situación. El perdón es tu billete para permanecer en la posición de poder. La fortaleza física y emocional y el bienestar prosperan cuando pueden avanzar sin peso. La sinceridad y el perdón mantienen fuertes la vitalidad y las relaciones. Según el *I Ching*, esto asegura la buena suerte y la fuerza para superar todos los retos.

Revisa tus hábitos de hacer ejercicio, de dormir y de comer y determina cómo estás manteniendo tu cuerpo. Refuerza tu salud física y emocional enviando a la familia y los amigos pensamientos amorosos cada vez que pienses en ellos. Sé sincero contigo mismo y con los demás con amabilidad. Perdona a todo aquel que sientas que te haya herido o perjudicado. Déjalo marchar. Lo más importante es perdonarte a ti mismo. El pasado ya no existe y el presente es una página en blanco que se ha de convertir en una obra maestra. Repite esta afirmación: «*Soy fuerte y vibro en cuerpo, corazón, mente y espíritu. Perdono a los demás y me perdono a mí mismo por los errores del pasado y envío pensamientos de amor y sanación a todas las personas que conozco. Disfruto de una relación sincera, sana y amorosa conmigo mismo y con todos mis amigos y familiares*».

Refuerza la zona de la salud y la familia cuando:

- tu salud necesite un empujón;
- tengas que someterte a una intervención quirúrgica o te estés recuperando de ella;
- empieces a practicar o ya practiques deporte, baile o algún tipo de ejercicio;

- desees que tu vida social y la «familia que has elegido» crezca o mejore;
- quieras mejorar tu relación con tus parientes;
- desees reforzar los atributos de la sinceridad y el perdón.

Mejoras externas relacionadas con la salud y la familia:

- Plantas sanas con hojas redondeadas o suaves de aspecto elegante.
- Flores naturales.
- Flores y plantas secas y de seda que parezcan vibrar.
- Obras de arte que reflejen tu concepto de salud ideal.
- Carteles y cuadros de jardines y paisajes.
- Estampados de flores y rayas en la ropa del hogar, el papel de la pared y las tapicerías.
- Cualquier objeto de madera, como mesas, sillas, boles y jarrones.
- Pilares, columnas y pedestales.
- Fotos de la familia y los amigos.
- Tonos azules y verdes.
- Citas, refranes y afirmaciones relativos a la sinceridad y el perdón.

Trabajo interior relacionado con la riqueza y la prosperidad
Palabra clave: *Gratitud*

El trigrama *Sun* del *I Ching*, que se traduce como «viento persistente», está relacionado con la riqueza y la prosperidad. La mayoría de las veces, la riqueza se acumula con el paso del tiempo, al igual que un árbol va adquiriendo su forma con el viento. Para apreciar plenamente la magnitud de tu riqueza has de cultivar una actitud de gratitud; el dinero es sólo una pequeña parte de la riqueza y la prosperidad. Tu vida se va forjando con todo lo que te es querido, desde los amigos, los familiares y la salud hasta tu creciente sabiduría y tus aptitudes. Al igual que con el dinero, no es inteligente arriesgar ni considerar normales los regalos de la vida que constituyen tus riquezas. La clave para recopilar y multiplicar la riqueza es perseverar en ver el vaso medio lleno.

La riqueza se acumula en un bolsillo agradecido. Haz una lista diaria de todas las personas y cosas a las que estás agradecido. Añade a la lista todas las cualidades y aptitudes que tengas. Ahora tienes un recuento completo de tu riqueza y tu prosperidad. Observa lo rico que eres en este momento mientras te concentras en ser agradecido; habrá aspectos de tu vida que se irán revelando y que deberás ir añadiendo a tu cartera. La gratitud es tu senda hacia la experiencia segura de riqueza y prosperidad en todos los planos. Lee a menudo tu lista, añade cosas y regocíjate en tu riqueza. Repite esta afirmación: «*Con alegría y gratitud, doy la bienvenida a la abundancia de gente y experiencias positivas en mi vida, ahora y siempre. Soy rico y próspero de todas las formas posibles y estoy bendecido con un flujo constante y abundante de riqueza, salud y felicidad*». Llena tu cartera de riqueza y gratitud y tu prosperidad está asegurada.

Refuerza la zona de la riqueza y la prosperidad cuando:

- desees generar más dinero en efectivo en tu vida;
- estés recogiendo dinero o recursos con algún propósito;
- quieras sentir más agradecimiento por el flujo de abundancia y prosperidad en tu vida.

Mejoras externas relacionadas con la riqueza y la prosperidad:

- Fuentes artificiales, especialmente cuando el agua esté en movimiento.
- Móviles de tubos sonoros, banderas de oraciones y estandartes que atraigan simbólicamente la riqueza y la prosperidad.
- Objetos queridos y colecciones valiosas, como antigüedades, obras de arte, objetos de cristal y monedas.
- Carteles, cuadros y fotografías de las cosas que te gustaría comprar o experimentar.
- Azules, púrpuras y rojos.
- Dichos, citas y afirmaciones relacionados con la gratitud, la riqueza y la prosperidad.

Trabajo interior relacionado con la fama y la reputación
Palabra clave: *Integridad*

El trigrama *Li* del *I Ching*, que representa la fama y la reputación, se traduce como «fuego adherente». Al igual que el fuego, tu reputación se adhiere a ti durante mucho tiempo. Una buena reputación ganada con la práctica constante de la integridad, inspira buena voluntad y aviva las llamas para que sucedan grandes cosas. La buena suerte sólo se puede alcanzar bajo el amparo de la integridad. Por otra parte, la falta de sinceridad y el fraude no harán más que destruir ese amparo. Tus palabras y acciones son recordadas y a menudo exageradas mucho después de que se hayan dicho o hecho. Ten cuidado con la fama que cosechas porque te precederá durante mucho tiempo.

Esta regla rige tanto si los demás conocen tus puntos flacos como si no. La primera persona para la que has de tener una reputación impecable eres tú mismo. Cuando eres responsable de pensamiento, palabra y obra, iluminas tu camino a tu paso por la vida. Evalúa tu grado de integridad. ¿Te consideras una persona de confianza? ¿Cumples con tu palabra? Sólo tú sabes lo sincero que eres realmente. Procura que cualquier acto de engaño o de falta de honradez sea agua pasada y practica «ser lo que dices». Tu integridad es la que forja y refuerza tu reputación y cultiva las inestimables recompensas de la autoestima y el respeto hacia ti mismo. Repite esta afirmación: *«Mi integridad inspira buena voluntad y buena suerte. Soy digno de confianza en todo lo que digo y hago».*

Refuerza la zona de la fama y la reputación cuando:

- quieras crearte una buena reputación en tu comunidad;
- quieras que te reconozcan más en casa o en el trabajo;
- desees que se te conozca bien por algo que haces;
- desees ser más íntegro.

Mejoras externas relacionadas con la fama y la reputación:

* Símbolos de tus logros, como diplomas, premios, certificados y trofeos.
* Iluminación agradable.
* Obras de arte que representen personas o animales.
* Artículos hechos de animales, como cuero, peletería sintética, plumas, huesos y lana.
* Imágenes de personas a las que respetas.
* Símbolos de tus metas para el futuro.
* Objetos o estampados triangulares o cónicos.
* Todo tipo de tonos de rojo, claro, brillante y oscuro.
* Dichos, citas y afirmaciones relacionados con la integridad y con tu fama y tu reputación.

Trabajo interior relacionado con el amor y el matrimonio
Palabra clave: *Receptividad*

El amor y el matrimonio están relacionados con el trigrama *K'un*, o «tierra receptiva». Como el trigrama más yin de todos, su enseñanza fomenta cultivar la receptividad y el amor incondicional. Para recibir amor de verdad has de abrir tu corazón y estar totalmente receptivo a tu pareja. La armadura se cae ante la presencia del amor. Las relaciones íntimas amorosas prosperan cuando ambos cónyuges confían totalmente el uno en el otro y dan y reciben con el corazón abierto. Todas las parejas felices saben lo sensibles, cariñosas, amables, tiernas y dulces que pueden ser en sus momentos de intimidad. Todo esto son cualidades yin, que son las que marcan la diferencia entre una vida amorosa ordinaria y extraordinaria.

Quizás la vida amorosa más importante que debas cultivar es la que tienes contigo mismo. Trátate con la misma ternura que tratarías a tu amante. Propónte satisfacer tus propias necesidades, deseos y aspiraciones. Tu capacidad para amarte a ti mismo refuerza el chi y atrae a gente agradable. Cítate contigo mismo en los lugares que te gustan, sumérgete en un baño de agua caliente, enciende velas y pon tu música favorita. Deja que afloren tus ritmos más profundos y celébralo. Da amor abiertamente a la persona a la que mejor conoces en tu vida —tú mismo— y también recíbelo. Mírate en el espejo y di: «*Eres una gran persona. Te amo y te apoyo en todo, ahora y siempre*».

Refuerza la zona del amor y el matrimonio cuando:

- desees atraer una relación romántica;
- desees mejorar tu relación romántica actual;
- estés iniciando o enriqueciendo una relación amorosa contigo mismo;
- quieras ser más abierto y receptivo.

Mejoras externas relacionadas con el amor y el matrimonio:

- Obras de arte que representen escenas románticas y amorosas.
- Pares de objetos, como candelabros, flores, libros y figuras.
- Recuerdos de experiencias románticas.
- Tus fotos favoritas de ti mismo o de ti con tu verdadero amor.
- Objetos de color rojo, rosa y blanco.
- Citas, proverbios y afirmaciones sobre el amor y el romanticismo.

Trabajo interior relacionado con los hijos y la creatividad
Palabra clave: *Gozo*

El trigrama *Tui* del *I Ching* significa «lago gozoso» y se asocia a los hijos y la creatividad, así como a los atributos de la alegría y el valor. En la vida todos somos creadores. Siempre estamos creando algo, ya sean células nuevas en el cuerpo, nuevos pensamientos en la mente, nuevas comidas en la cocina o nuevos proyectos en el trabajo. Vivir es crear y crear es estar verdaderamente vivo. La clave para entrar de lleno en un proceso creativo es la alegría. La alegría y el placer que obtienes en tus creaciones cotidianas te conecta con el gozo inherente a toda creación. El niño posee la habilidad natural de crear arte, juegos, canciones, poemas, bailes, parodias y composiciones musicales por su alegría de vivir. Es esa cualidad de la dicha infantil que todos llevamos dentro la ̖ue contiene el espíritu creativo.

Aprovecha todas las oportunidades para fomentar la creatividad. Pasa tiempo con personas creativas, ve a galerías de arte, haz collages que expresen tus metas y sueños, compra una caja de lápices o barras de cera de colores y deja que fluya tu espíritu creativo. Nutre a los demás y nútrete a ti mismo con grandes dosis de ánimo para que la creatividad florezca a tu alrededor. Que niños y adultos sepan lo maravillosos que son sus trabajos creativos, aun cuando sus cielos sean de color naranja, sus chimeneas estén dobladas, sus árboles parezcan chupa-chups o sus figuras humanas tengan tres brazos. En el espíritu de gozosa creatividad es perfecto. El *I Ching* sugiere que, cuando fomentas la creatividad en las personas para que se manifiesten y jueguen, iluminas el mundo con alegría.

Piensa en algunas experiencias creativas que hayas tenido. Si has vivido en el mejor de los mundos cuando eras pequeño, tu creatividad debió de recibir el apoyo incondicional, en cada una de sus manifestaciones, de un entusiasta club de fans de amigos, familiares y tutores que decían: «¡Vaya, buen trabajo!» o «¡Es precioso!». Si no fue así, puede que te hayas sentido desanimado y vulnerable cuando tu trabajo creativo recibía comentarios como: «¡Qué color tan feo!», «No es la forma correcta» o «Le falta sal». Tanto si te han animado a que seas creativo como si no, recuerda tus expresiones creativas diarias. Tanto si se trata de vestirte con imaginación como de contar cuentos a tus hijos, cualquier acción puede ser creativa según el enfoque que le des.

Conviértete en un entusiasta creador de armonía, salud y belleza en tu entorno. Estimula tu sentido creativo haciendo cosas que realmente te inspiren. Despierta tu genio creativo dejando que se manifieste y juegue tu niño interior. Pon música en la sala de estar y muévete siguiendo el ritmo. Canta a pleno pulmón en el coche. Sé bueno y ensúciate en el jardín. Haz el máximo de cosas que te llenen de felicidad.

Al fin y al cabo, tú eres tu fan más fiel. Nutre tu espacio interior de dicha, ánimo y deleite. Repite afirmaciones como: «*Experimento un gran gozo y placer cuando me expreso creativamente. Atraigo a gente alegre y divertida que me anima a ser creativo. Cuanto más creativamente me expreso, más feliz soy*».

Refuerza el área de los hijos y de la creatividad cuando:

* desees ser más creativo en algún aspecto;
* estés realizando un proyecto creativo;
* te sientas bloqueado en el área de la creatividad;
* quieras explorar y desarrollar las cualidades de tu niño interior;
* quieras mejorar tu relación con los niños;
* desees quedarte embarazada;
* quieras ser más feliz.

Mejoras externas relacionadas con los hijos y la creatividad:

* Obras de arte u objetos que sean especialmente creativos, extravagantes, divertidos, llamativos o que estimulen tu sentido creativo.
* Juguetes, muñecas y animales de peluche que te hagan feliz.
* Fotografías de tus hijos junto con alguna manualidad que ellos hayan hecho.
* Rocas y piedras.
* Formas circulares u ovaladas.
* Objetos hechos de metal.
* Objetos de color blanco o tonos pastel claros.
* Citas, dichos y afirmaciones que hagan alusión a la alegría, a los hijos y a la creatividad.

Trabajo interior relacionado con las personas útiles y los viajes
Palabra clave: *Sincronía*

La zona de las personas útiles y los viajes se asocia en el *I Ching* al trigrama *Chi'en*, que significa «cielo». Este es el más yang de los trigramas y simboliza la claridad, la sincronía y la acción correcta. Creas el «cielo en la tierra» cuando te concentras claramente en lo que deseas conseguir y llevas a cabo la acción correspondiente, dejando que la sincronía te guíe. Piensa en algún momento en que tu vida cambiara positivamente gracias a una persona o un lugar. Quizá conociste a alguien que se convirtió en tu tutor o viajaste por algún lugar que te enriqueció de forma especial. Gracias a la experiencia de la sincronía, te encontraste en el lugar adecuado, conociste a las personas adecuadas y estabas allí en el momento adecuado. Cuando experimentas a las personas que se cruzan en tu vida como ángeles y los lugares donde vives, trabajas y pasas tu tiempo de ocio como paraísos, estás «en sincronía». La experiencia opuesta, repleta de personas malévolas y lugares detestables, te dice claramente que has de renovar tu camino. Sabes que has vuelto al camino correcto cuando personas angelicales y experiencias celestiales reaparecen como si fueran indicadores de carretera que te muestran el camino correcto.

Cultiva la claridad mental, de corazón y de espíritu; define tus intenciones; concéntrate en ellas; di no a lo que no encaje y sí a lo que sí. De este modo, los momentos celestiales se alargan a horas, días, semanas, a toda una vida.

Al igual que sucede con todas las experiencias fuertes, para transformar nuestra forma de vida actual se requiere una tremenda concentración y mucha acción. Dejemos que la sincronía nos guíe. Repite esta afirmación: «*Atraigo a la gente, las cosas y los lugares perfectos a mi vida cotidiana. Siempre estoy en el lugar adecuado y conozco a la gente adecuada en el momento propicio. Llamada a todos los ángeles: ¡Os doy la bienvenida a mi vida!*».

Refuerza la zona de las personas útiles y los viajes cuando:

- quieras atraer a más mentores, clientes, empleados, colaboradores —gente útil de cualquier tipo— a tu vida;
- quieras viajar en general o a un lugar en concreto;
- desees sentirte más conectado a tu creencia religiosa o espiritual (las personas útiles en el grado más elevado);
- te traslades a una nueva casa o a otro lugar de trabajo;
- quieras experimentar más sincronía.

Mejoras externas relacionadas con las personas útiles y los viajes:

- Cuadros o esculturas que representen figuras espirituales o religiosas de tu agrado, como ángeles, santos, diosas y maestros.
- Objetos personales que te recuerden algo espiritual, como rosarios, cosas de cristal o libros de oraciones.
- Fotografías de personas que te han ayudado, como mentores, maestros o parientes.
- Obras de arte, carteles y collages de lugares que te gustaría visitar, donde te gustaría vivir o que para ti sean especiales.
- Cosas de color blanco, gris y negro.
- Citas, dichos y afirmaciones de milagros, experiencias espirituales y sincronía.

Trabajo interior relacionado con la carrera profesional
Palabra clave: *Valor*

El trigrama del *I Ching* asociado a la carrera profesional es *K'an*, que significa «agua profunda». Muchos sabemos el trastorno que nos puede ocasionar escoger una carrera. Nos guste o no, cuando tratamos de averiguar cuál es nuestra vocación nos vemos arrojados a las profundidades de nuestro ser. El camino, una vez elegido, puede ser misterioso, con frecuencia nos conduce a retos imprevisibles y, desde luego, a muchos más cambios. El abogado se convierte en *chef*, luego en un diseñador de cocinas; después se retira y se dedica a la política. El ama de casa se convierte en asesora de imagen, luego en artista, monta su propio negocio y acaba siendo profesora. En cada giro de nuestra senda profesional, nos vemos arrastrados de nuevo a las aguas profundas en las que hemos de explorar nuestro destino. Puede que te cuestiones la profesión que antes te gustaba o descubras que quieres dedicarte a otra cosa totalmente distinta. Esto puede ser una experiencia difícil que suponga tomar decisiones que los demás desaprueben. Tu valor es vital. Has de estar preparado y dispuesto a escuchar tu voz interior y a seguir sus consejos. Joseph Campbell lo llamó «perseguir la dicha». Tú sabes mejor que nadie quién eres y lo que crees que has de hacer, así que... ¡a por ello!

Cuando te encuentres en una encrucijada respecto a qué carrera escoger, dedica un tiempo de tu rutina cotidiana a pensar en ello. Inicia la búsqueda de una nueva visión, retírate o vete de camping, aunque sólo sea por unos días. Una vez te hayas alejado de todo, dispónte a recibir las nuevas instrucciones. Observa tus sueños; escribe un diario; define tu propósito en la vida; haz dibujos, collages o listas de lo que te gustaría hacer. Escucha a esas partes de tu ser que no están directamente relacionadas con producir ingresos. Remueve el bote. Sé valiente y confía en ti mismo. Repite esta afirmación: «*Estoy totalmente abierto a cumplir mi destino. Invoco ahora mis siguientes instrucciones. Mi trabajo en el mundo me llena, inspira y recompensa económicamente cada día más*».

Refuerza la zona de la carrera profesional cuando:

- busques un propósito en tu vida;
- quieras cambiar de trabajo o de carrera;
- quieras hacer de cooperante o realizar algún trabajo social en tu comunidad;
- quieras cambiar de profesión;
- quieras ser más valiente.

Mejoras externas relacionadas con la carrera profesional:

- Fuentes artificiales, cascadas y acuarios.
- Ilustraciones o fotos que representen agua, como estanques, ríos, lagos o el mar.
- Cualquier imagen u objeto que simbolice personalmente tu carrera, como libros sobre tu especialidad o artículos con el nombre de tu empresa.
- Objetos sin forma, asimétricos o fluidos.
- Espejos, cristales y objetos de vidrio.
- Cosas de tonos negros o muy oscuros.
- Citas, dichos y afirmaciones relacionados con el valor y con seguir tu camino.

Trabajo interior relacionado con el saber y la cultura
Palabra clave: *Quietud*

El trigrama *Ken* del *I Ching* significa «montaña» y se asocia al saber y la cultura. Asimilamos mejor el conocimiento, ya sea en la escuela o en la vida, cuando permitimos regularmente que el cuerpo y la mente estén quietos. La montaña simboliza el ascenso a un lugar interior tranquilo donde podemos asimilar e integrar nuestras experiencias diarias. La quietud, el complemento yin de la acción yang, se transforma en conocimiento y se adentra en la sabiduría. Para ser sabios, necesitamos un tiempo de silencio para equilibrar el tiempo de actividad. Cuando creas quietud en tu rutina diaria, honras el ritmo de la vida. Esta enseñanza nos recuerda a todos nosotros, los occidentales demasiado ocupados, que para ser verdaderamente brillantes, creativos y productivos también hemos de acoger la quietud.

Concédete cada día un rato de quietud. Si todavía no practicas algún tipo de meditación, introspección o contemplación, empieza ahora. Hay cientos de libros y cursos sobre cómo aquietar la mente y el cuerpo. A algunas personas les resulta más fácil estar quietas después de haber realizado alguna actividad física, como bailar o hacer ejercicio. Si eres principiante, empieza practicando la quietud durante cinco minutos dos veces al día. Puedes empezar ahora, sentándote cómodamente y observando tu respiración durante unos momentos. Céntrate en la inspiración y la espiración, sencillamente permanece sentado y respira, vuelve a concentrarte en la respiración cada vez que te disperses. Al sacar un tiempo del estado de vigilia dedicado a la actividad, profundizamos en la paz y la sabiduría que hay en nuestro interior. Repite esta afirmación: *«Soy sabio y estoy en calma. La quietud mejora mi paz y mi sabiduría».*

Refuerza la zona del saber y la cultura cuando:

- estés estudiando algo;
- te dediques a asesorar o a alguna actividad de crecimiento personal;
- desees cultivar la sabiduría y la paz mental.

Mejoras externas relacionadas con el saber y la cultura:

* Libros, cintas u otro material sobre lo que estés estudiando.
* Pinturas o esculturas que representen montañas o lugares tranquilos, como jardines para meditar.
* Pinturas o fotografías de personas que consideres realizadas o sabias.
* Cosas de color negro, azul o verde.
* Dichos, citas o afirmaciones inspiradores y relacionados con la meditación.

Trabajo interior relacionado con el centro

El centro del mapa bagua se considera el eje de la rueda o el «plexo solar» de la casa. Es el lugar del elemento tierra, y representa la importancia de organizar nuestra vida de modo que fluya en torno a una base sólida y bien asentada. Muchas casas tradicionales chinas tenían un patio de tierra en el centro, donde el chi de la tierra estaba directamente al alcance de sus ocupantes. Si en el centro de tu casa tienes sitio, esa sería una situación excelente para un patio, un atrio o macetas con plantas. Si no es así, puedes colocar algún cuadro o escultura que te recuerde que has de permanecer centrado y conectado con la tierra. La cerámica y los tonos amarillos y ocres, debido a su relación con la tierra, también te pueden ayudar a reforzar el centro de tu hogar.

Averigua lo enraizado y conectado que estás con tu centro en estos momentos. Fomenta tu capacidad para permanecer centrado a lo largo de los múltiples cambios de la vida, conectándote diariamente con la tierra. Pasea, siéntate en la tierra o pon las manos en ella plantando plantas o arreglando el jardín. Observa cómo tu yo interior se fortalece y se centra más a medida que te conectas con la tierra. Repite afirmaciones como: *«Estoy siempre centrado y conectado. Siempre estoy bajo el seguro y amoroso abrazo de la Madre Tierra».*

EJERCICIO DEL MAPA BAGUA

Recoge imágenes que representen la zona bagua sobre la que estás trabajando, como la de tu pareja, trabajo, familia, salud o situación económica ideal, y haz un collage. Cuando te expresas artísticamente, estás recogiendo literalmente chi para que mejore tu vida. Puedes dibujar, pintar, tejer, construir o esculpir imágenes que simbolicen tus metas. Pregúntate cosas como: ¿De qué color es mi salud? ¿Qué forma tiene mi reputación? ¿Qué imagen tiene mi carrera? Sorprendentemente, suelen salir respuestas muy poderosas de este proceso. Tu propio arte se manifiesta de una forma muy personal, como la expresión tangible de tu búsqueda interior. Asegúrate de expresarlo, aunque sólo sea temporalmente, para que las imágenes que has elegido puedan nutrir y sustentar tus metas.

3

El yin y el yang y los cinco elementos: La abundante gama de la naturaleza

Cada vez que creamos una línea recta, necesitamos una curva para equilibrar: la curva de un jarrón, la sinuosa línea de una silla, la curvatura de una mesa ovalada, la mullida tapicería de un sofá. Estas cosas suavizan las estructuras de la modernidad, haciéndolas sinuosas y atractivas.

ILSE CRAWFORD

El yin y el yang

Nos gusta que nuestro entorno no sea ni demasiado frío ni demasiado caliente, ni oscuro ni claro, ni pequeño ni grande, sino sencillamente correcto. Preferimos el equilibrio entre los dos extremos denominados yin y yang. Por una parte, el yin se asocia a las formas curvas y pequeñas, frías, oscuras, húmedas, o a los escenarios u objetos recargados. Por la otra, el yang se asocia a las formas angulares y grandes, a la luz y al calor y a los lugares abiertos y los objetos lisos. El Feng Shui dice que cuanto más extremo sea el diseño de nuestra casa, más incómodos nos sentiremos. La mayoría de las personas son más felices y están más a gusto en una equilibrada mezcla de rasgos yin y yang en su entorno.

La arquitectura y el diseño occidentales suelen ser bastante yang, estar recargados de ángulos, techos altos y grandes muebles, ventanas enormes y afiladas esquinas. Ante esto, es fácil comprender por qué los practicantes de Feng Shui a menudo sugieren formas más redondeadas, más suaves y más yin, así como mobiliario apropiado para equilibrar el entorno yang. Puede que nos encanten los techos altos, los grandes espacios blancos y las luces brillantes en las galerías de arte, las iglesias y los centros comerciales, pero en algún momento sentimos deseos de regresar al acogedor y cómodo lugar que llamamos hogar, donde todo está en su justa medida.

Aunque en nuestra cultura nos inclinamos más hacia la arquitectura yang, también podemos encontrar el extremo yin. Imagina una habitación pequeña que parezca una cueva, con muebles oscuros, luz opaca y techo bajo. Hay muchos sótanos así. En este caso necesitaríamos componentes yang, como más luz, grandes espejos y tonos cálidos y brillantes para equilibrar las múltiples características yin. Aún más común es la habitación grande y angular, con techo alto, paredes blancas, grandes ventanales, objetos decorativos de tamaño considerable y muebles de colores claros. Aquí serían necesarios componentes yin, como mesas redondas, ventanas decoradas, alfombras y tonos oscuros y colores vivos para crear equilibrio y confort.

Cada habitación de tu casa necesita un tratamiento individual. Un dormitorio puede ser bastante yin —edredones suaves, estampados elaborados, cojines mullidos y luz tenue— y seguir siendo acogedor porque su función como lugar de descanso y regeneración es principalmente yin. Aun así, siempre ha de existir un equilibrio. Demasiados cojines, demasiados frascos en el tocador y encajes y telas en exceso pueden alterarlo. Por otra parte, un despacho en casa, con sus componentes yang, como un gran escritorio, luces brillantes y material de oficina, puede ser justo lo que necesitas para hacer tu trabajo. Sin embargo, demasiadas esquinas puntiagudas y superficies lisas pueden provocar irritación y estrés. Cuando el yin y el yang están equilibrados, todas las habitaciones de la casa te resultan cómodas y bonitas, un paraíso personal que nutre y protege tu salud, felicidad y prosperidad.

Detente un momento a observar la habitación en la que te encuentras ahora. Utilizando la tabla que viene a continuación, haz una lista de los rasgos yin y yang y define cuál predomina. Considera si añadirías cosas o quitarías algo para resaltar el equilibrio entre el yin y el yang.

TABLA DE CARACTERÍSTICAS YIN Y YANG

Yin	Yang	Yin	Yang
oscuro	brillante	bajo	alto
pequeño	grande	fresco	templado
decorado	liso	frío	caliente
horizontal	vertical	floral	geométrico
curvado	recto	tierra	cielo
redondeado	angular	luna	sol
suave	duro	femenino	masculino

Los cinco elementos

En el Feng Shui, los elementos madera, fuego, tierra, metal y agua se consideran los bloques básicos de toda la materia existente en nuestro planeta. Se manifiestan en innumerables formas y combinaciones en todo lo que nos rodea. Según el Feng Shui, los seres humanos estamos constituidos por los cinco elementos y, por consiguiente, nos sentimos mejor cuando también se encuentran en nuestra casa. La forma más rápida de aprender a trabajar con los elementos es observarlos en nuestro hogar.

Aunque muchas personas perciben cuándo hay un exceso o una carencia de algún elemento, normalmente no saben cómo arreglarlo. ¿Qué color iría bien aquí, rojo o azul? ¿La mesa ha de ser redonda o rectangular? ¿Qué queda mejor, un espejo o un objeto decorativo? La respuesta a este tipo de preguntas es sencilla cuando sabemos leer los elementos, lo que hace de ellos una de las herramientas más misteriosas del Feng Shui. Aprende a reconocer y a combinar los cinco elementos y podrás ver exactamente lo que necesita cada habitación para estar perfectamente armonizada.

Una lectura general

Para determinar el equilibrio general de una habitación, utiliza las siguientes listas de asociaciones relacionadas con los cinco elementos. Observa las cosas hechas de los propios elementos, como mobiliario de madera o de metal. Descubre los artículos que se asocian a un elemento, como la superficie de mármol de una mesa (metal), un espejo (agua) o plantas (madera). Busca los colores asociados a cada elemento, como el rojo (fuego), azules y verdes (madera) o el amarillo (tierra). Ten en cuenta que cuanto más oscuro es el tono, más «acuoso» se vuelve, como el negro, el azul marino y el marrón oscuro; mientras que cuanto más claro es, más se relaciona con el metal. Observa tus cuadros para ver qué elemento representan, como un «encendido» atardecer o una «acuosa» marina. Haz una lectura general de cada habitación y anota si hay elementos que predominan, que apenas están presentes o que no existen.

Uno de mis clientes vive en una hermosa casa cerca del mar. Cuando vi su salón, observé que todos los elementos estaban perfectamente representados salvo el elemento tierra. A diferencia de lo que ocurría en la mayoría de las habitaciones, allí no había ni mobiliario ni adornos cuadrados. Salvo un libro y los marcos de algunos cuadros dispersos, todo era redondo y suave, no había amarillos ni tonos ocres visibles. Le pregunté si tenía algún trozo de tela amarillo. Consiguió una camiseta de color amarillo dorado y envolvimos uno de los cojines del sofá con ella. El efecto fue sorprendente. De pronto toda la habitación tenía un centro, un eje sobre el cual girar y fluir. Lo único que necesitaba la estancia era un sencillo detalle que aportara el equilibrio perfecto.

El elemento madera

Energéticamente, el elemento madera fomenta la intuición, la creatividad, la flexibilidad y la expansión. Mucha madera en un entorno puede abrumar o hacer que el peso de la responsabilidad parezca mayor, mientras que si hay poca puede estancar y dificultar el flujo de la intuición y de la creatividad.

El elemento madera se encuentra en:

* los muebles de madera, paneles y accesorios;
* todas las plantas y flores, incluso de seda, de plástico y secas;
* los paños de algodón y las fibras como el rayón;
* las tapicerías, el papel de pared, las cortinas y la ropa de cama con estampados de flores;
* cuadros o carteles de paisajes, jardines, plantas y flores;
* columnas, pilares, pedestales y postes;
* el papel;
* las rayas;
* los tonos azules y verdes.

El elemento fuego

El elemento fuego activa las cualidades de liderazgo y enciende relaciones emocionales saludables entre las personas. Demasiado fuego en un entorno estimula o aumenta la agresividad, la impaciencia y la conducta impulsiva, mientras que muy poco puede provocar frialdad emocional.

El elemento fuego se encuentra en:

* la iluminación, incluida la eléctrica, con aceite, velas, chimeneas y la luz natural del sol;
* artículos hechos de animales, como pieles, ante, cuero, huesos, plumas, seda y lana;
* los animales de compañía y los salvajes;
* cuadros de personas o animales;
* cuadros de amaneceres, fuego u otro tipo de iluminación;
* triángulos, pirámides y formas cónicas;
* tonos rojos, incluidos el rosa, el rojo anaranjado, el magenta y el castaño.

El elemento tierra

El elemento tierra potencia la fuerza física, la sensualidad, el orden, el sentido práctico y la estabilidad. Demasiada tierra en una casa crea una atmósfera pesada, seria o conservadora, mientras que muy poca provoca inestabilidad, desorden y caos.

El elemento tierra se encuentra en:

* el adobe, los ladrillos y las tejas;
* cerámicas y objetos hechos de arcilla;
* formas cuadradas y rectangulares;
* cuadros de paisajes, como desiertos o campos de cultivo;
* tonos amarillos y ocres.

El elemento metal

El elemento metal mejora la agudeza mental y la independencia y fortalece la concentración, incluso en los momentos de estrés. Un exceso de metal crea rigidez mental, tozudez, falta de trabajo en equipo e incapacidad para comprometerse; su falta ocasiona indecisión, retraso y confusión.

El elemento metal se encuentra en:

* todos los metales, incluidos el acero inoxidable, el cobre, el latón, el hierro, la plata, el aluminio y el oro;
* el cemento, las rocas y las piedras, incluidos el mármol, el granito y las losas;
* cristales y piedras preciosas;
* cuadros y esculturas hechas de metal o piedra;
* formas circulares, ovales y arqueadas;
* color blanco y tonos pastel.

El elemento agua

El elemento agua favorece la espiritualidad, la inspiración, la relajación y la capacidad de fluir. Demasiada agua puede provocar dispersión y disminuir la productividad, mientras que la falta de ella puede causar estrés, rivalidad, ansiedad, mezquindad y sarcasmo.

El elemento agua se encuentra en:

- ríos, estanques, fuentes artificiales y lugares de cualquier tipo donde haya agua;
- superficies reflectantes, como cristal tallado, vidrio y espejos;
- formas fluidas, amorfas y asimétricas;
- cuadros donde haya agua;

Figura 3A
Los acuarios aportan los cinco elementos de forma armoniosa. El agua y el recipiente de vidrio representan el elemento agua; las plantas simbolizan el elemento madera; los peces, el elemento fuego; la arena representa el elemento tierra; y las rocas, el elemento metal.

Figura 3B

La acogedora decoración de este recibidor incluye todos los elementos. La planta representa la madera; las grandes flores rojas y los pequeños pájaros simbolizan el fuego; la forma rectangular y el decorado del espejo, el elemento tierra; la mesa semicircular y el macetero blanco, el elemento metal; y el espejo, que representa el agua, completa esta decoración básica.

Figura 3C

Una mesa de centro de cristal y metal, que aporta los elementos agua y metal, se complementa con un candelabro rojo burdeos (fuego), libros cuadrados (tierra) y flores (madera). Esta disposición reúne los cinco elementos en un armonioso diseño.

- el color negro y todos los tonos oscuros, como el gris carbón y el azul marino.

Combinaciones artísticas generales

A medida que vayas aprendiendo a identificar los cinco elementos, observarás que hay muchas cosas que combinan varios de ellos o todos a la vez. Los acuarios, tradicionalmente muy apreciados en el Feng Shui por sus cualidades para activar el chi, reúnen todos los elementos en una agradable combinación, tal como se muestra en la figura 3A.

Los acuarios son una de las innumerables formas de reunir armoniosamente todos los elementos. Las figuras 3B y 3C muestran ejemplos de cómo puedes crear grupos de cinco elementos en tu casa utilizando tus colores favoritos, objetos preciados y mobiliario. Como ves, los cinco elementos te ayudan a elegir los colores y las formas cuando decoras cualquier lugar de tu casa.

Se puede decorar cualquier habitación con los cinco elementos, que pueden ser de cualquier tamaño que resulte apropiado para el espacio. A menudo sugiero que las personas realicen una disposición básica de objetos en zonas que necesiten energía, como el garaje, un dormitorio extra o el sótano. Esta acción positiva marca el inicio del cambio y potencia el chi, de modo que a la gente le resulta más fácil organizar esas áreas.

El ciclo de generación de los cinco elementos

Cuando introduces los cinco elementos en una habitación, estás conectando con el ciclo de generación, en el que cada elemento nutre y sustenta al otro en perfecta armonía. El agua nutre a la madera; la madera alimenta al fuego; el fuego produce la tierra; la tierra crea el metal, y el metal retiene el agua. El ciclo de generación nos muestra cómo los elementos se refuerzan y generan el uno al otro en una interminable secuencia regeneradora. Cuando en un lugar están presentes los cinco elementos, se consigue un equilibrio natural.

LOS CINCO ELEMENTOS
Ciclos de generación y control

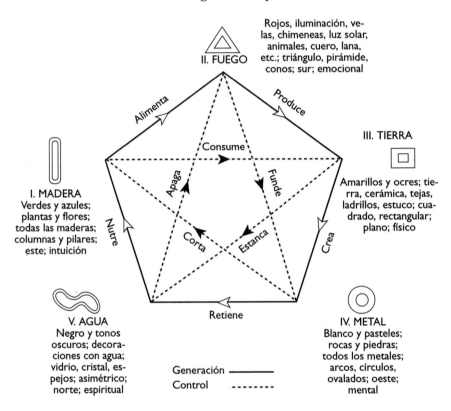

II. FUEGO — Rojos, iluminación, velas, chimeneas, luz solar, animales, cuero, lana, etc.; triángulo, pirámide, conos; sur; emocional

III. TIERRA — Amarillos y ocres; tierra, cerámica, tejas, ladrillos, estuco; cuadrado, rectangular; plano; físico

I. MADERA — Verdes y azules; plantas y flores; todas las maderas; columnas y pilares; este; intuición

IV. METAL — Blanco y pasteles; rocas y piedras; todos los metales; arcos, círculos, ovalados; oeste; mental

V. AGUA — Negro y tonos oscuros; decoraciones con agua; vidrio, cristal, espejos; asimétrico; norte; espiritual

Generación ——————
Control - - - - - - -

El ciclo de control de los cinco elementos

En el ciclo de control, vemos cómo los elementos se dominan y controlan entre sí. En este ciclo, la madera consume a la tierra; la tierra estanca el agua; el agua apaga el fuego; el fuego funde el metal, y el metal corta la madera. El ciclo de control se considera una gran guía para establecer la armonía elemental y se haya presente en muchos de los lugares que nos parecen bellos. Un oasis de palmeras en el desierto es un perfecto ejemplo de la madera consumiendo a la tierra, mientras que una isla tropical en un agua cristalina es esencialmente la tierra estancando al agua. La naturaleza nos ofrece constantemente ejemplos sobre cómo el ciclo de control de los elementos puede crear armonía y belleza.

También es muy útil ser conscientes de este ciclo cuando estemos buscando el equilibrio entre los elementos en nuestra casa. Cuando domina uno de ellos, el ciclo de control nos mostrará el elemento que puede equilibrar rápidamente el chi. Una vez hemos equilibrado el elemento dominante con el elemento que lo controla, podemos volver al ciclo de generación y refinar nuestro trabajo básico.

Trabajé en una casa en cuyo salón dominaba el elemento tierra. La decoración incluía baldosas cuadradas en el suelo, paredes estucadas, sofá de color beige oscuro, sillas marrones, pequeñas alfombras cuadradas en varios tonos de ocre y muchos pequeños complementos decorativos de barro. Los muebles estaban distribuidos en un apretado cuadrado, alrededor de una gran mesa rectangular hecha de azulejos de cerámica. En la pared que se encontraba detrás del sofá colgaba un cuadro de un desierto. Tanta tierra hacía que el espacio resultara pesado y produjera una sensación de encajonamiento que coincidía con la que sentían los dueños en esa habitación.

Para equilibrar la tierra, tenían que introducir en primer lugar el elemento que controla a la tierra, que es la madera. Pusieron cojines de color turquesa en el sofá, una gran alfombra en tonos azules y verdes debajo de la mesa de centro y varias plantas grandes. Volviendo al ciclo de generación, realzaron el elemento madera con el elemento agua sustituyendo el cuadro del desierto por un gran espejo y una pequeña fuente artificial de sobremesa. También introdujeron el elemento metal poniéndole al espejo un marco dorado y colocando las plantas en maceteros redondos de metal. Las lámparas, la luz natural y unos toques de rojo coral pintados en la cerámica aportaron mucho fuego, que por naturaleza refuerza a la tierra.

Asimismo abrieron la encajonada distribución de los muebles dando la vuelta a las dos sillas marrones y situándolas en diagonal, lo que les confería una vista periférica de la puerta. Como toque final, pusieron un mantelito alargado de color turquesa en diagonal sobre la mesita de centro para suavizar dos de las esquinas. Con estos cambios, el salón resultó muy acogedor e invitaba a un estilo de vida más espontáneo y alegre.

Los extremos elementales abundan en nuestra arquitectura y habitaciones. Los motivos monocromáticos y la repetición constante de una forma son dos de las cosas que suelo ver en las casas. Aunque percibamos el efecto como espectacular o moderno, la mayor parte de las personas no se sentirán cómodas porque, en esencia, domina un elemento mientras que otros no están presentes. Recuerda que tu meta final es reunir los cinco elementos en armonía en cada habitación. Merece la pena observar la diferencia cuando percibimos que una habitación resulta confortable.

REFERENCIA RÁPIDA PARA TRABAJAR CON EL CICLO DE CONTROL

Cuando el elemento dominante es la madera,
introduce el elemento metal para controlarla,
refuérzala con la tierra y el fuego,
compensa con toques de agua.

Cuando el elemento dominante es el fuego,
introduce el elemento agua para controlarlo,
refuérzalo con el metal y la tierra,
compensa con toques de madera.

Cuando el elemento dominante es la tierra,
introduce el elemento madera para controlarla,
refuérzala con el agua y el metal,
compensa con toques de fuego.

Cuando el elemento dominante es el metal,
introduce el elemento fuego para controlarlo,
refuérzalo con madera y agua,
compensa con toques de tierra.

Cuando el elemento dominante es el agua,
introduce la tierra para controlarla,
refuérzala con el fuego y la madera,
compensa con toques de metal.

Fluidez básica

Practica la identificación de los cinco elementos y estudia su interrelación en tu casa, en las de tus amistades, en restaurantes y comercios y en tu trabajo. En este proceso irás aprendiendo una parte importante de la alquimia del Feng Shui. Llegará un momento mágico en que te darás cuenta de que has adquirido soltura en un lenguaje que te beneficia a ti y a todos los que te rodean. A partir de entonces, podrás crear entornos equilibrados que vibren de todas las maneras posibles.

4

Las herramientas para activar el chi:
Una casa romántica

*Al fin y al cabo, lo que realmente cuenta es contemplar todo lo que nos rodea
con suma atención y el corazón abierto: un ramo de flores, una canción, el olor
de un pan recién hecho, un abrazo afectuoso..., estas cosas pueden transformar
cualquier lugar en una morada feliz y reconfortante.*

THOMAS BENDER

La meta del Feng Shui es favorecer la armonía y la vitalidad de nuestro
entorno. Intenta rodearte de cosas que eleven tu espíritu y te exhorten a
amar la vida. Crea una casa idílica —y una persona idílica, tú mismo—
viviendo con las cosas que avivan el chi.

Rodéate sólo de aquellos objetos que pasen la prueba del «¡me encanta esto!». A algunas personas les gusta llenar una habitación con grandes plantas y telas de colores brillantes, mientras que otras prefieren un
único detalle floral y colores apagados. Una pareja eligió un modelo de la
nave espacial USS Enterprise de *Star Trek* para intensificar su zona de
la riqueza y la prosperidad, puesto que les hacía sentirse ricos y podero-
sos. Fue una elección creativa que nunca hubiera imaginado, ¡pero a ellos
les funcionó!

El chi siempre se activa con la alegría, la inspiración y la creatividad.
El Feng Shui te invita a verter tu individualidad en tu casa —habitación
por habitación— del modo que te resulte más atractivo.

El arte

Los colores y las imágenes de tu arte reflejan aspectos de ti mismo que te pueden animar o hundir. Idealmente, tus obras de arte deberían plasmar sentimientos positivos y actuar como una reafirmación ambiental en tu casa. Las obras que reflejen violencia, tristeza, crispación o muerte no son recomendables.

Con frecuencia veo un fenómeno que denomino arte terapéutico. Es arte que refleja el muchas veces largo viaje interior de una persona, en un momento en concreto de su vida. En una ocasión trabajé con una mujer que había recogido varios dibujos a plumilla de un artista. En todos había una mujer desnuda en una postura comprometida. Uno de ellos era de una mujer que se encontraba en un grupo de esclavos e iba a ser vendida. En otro, la mujer era la única persona desnuda entre una gran multitud. Cuando le pregunté a mi clienta cómo le hacían sentirse esos dibujos, me dijo que los había recopilado hacía diez años cuando estaba haciendo terapia. En aquel momento habían simbolizado su viaje de sanación, el cual ya había terminado. Se dio cuenta de que esos dibujos la mantenían vinculada a su doloroso pasado y de que ya iba siendo hora de deshacerse de ellos. Cuando lo hizo, observó que su imagen de sí misma mejoró.

Figura 4A
Se puede escoger una obra de arte para realzar zonas bagua específicas de la casa. Esta pintura de radiantes flores de Monte deGraw refuerza la salud y la vitalidad en la zona de la salud y la familia, situada en el salón.

Figura 4B
Cuando la zona de la salud y la familia se encuentra en el dormitorio, las obras que elijas puede que sean diferentes. El cuadro de Jeff Kahn de dos personas radiantes y sanas es más íntimo y más apropiado para un dormitorio.

El arte terapéutico no tiene por qué ser malo, pero, al igual que una medicina, cumple su función y, una vez esta cumplida, ya no es necesario. Conservarlo es innecesario y a menudo perjudicial. Date permiso para deshacerte de cualquier obra que ya no te guste o te recuerde algo que prefieras olvidar. Tu arte ha de ser un reflejo exacto de la inspiración de tu yo interior, una ventana hacia una experiencia celestial y que eleva el espíritu.

Muchas veces, los clientes tienen obras de arte que nunca les han gustado, pero las conservan porque han pertenecido a la familia desde siempre y se sienten obligados a soportarlas. En mi propia familia hay un ejemplo de esto. Mi madre tiene un retrato de una tía abuela colgado encima de la repisa de la chimenea del salón. La tía tiene una expresión severa y unos ojos que parecen mirarte desde todas partes. Durante mi infancia nunca usamos esa habitación y creo que era por el desagradable retrato. Cuando le pregunté a mi madre si le gustaba el cuadro, su respuesta fue un «no» rotundo, pero lo había aguantado durante años porque era una herencia. Varias generaciones sufrieron la insidiosa mirada de mi tía abuela. ¡Mi madre añadió que había pensado regalármelo a mí! Yo le respondí que no me importaría donarlo a una casa museo, donde los visitantes pudieran disfrutar de esos ojos durante un momento y luego pasar de largo. Si tienes una herencia que no te gusta o no quieres, es el momento de deshacerte de ella: se la das a un familiar que realmente la quiera o a un anticuario, o la donas. Los recuerdos del pasado sólo son buenos cuando te llevan a donde quieres ir.

Tus obras de arte también pueden adaptarse a la función de la habitación y del mapa bagua para conseguir una activación del chi. Este tipo de «disposición» fomenta y apoya doblemente aspectos específicos de tu

Figura 4C
Aquí, en la zona de la carrera profesional del salón hay arte tibetano, que decora el espacio y recuerda a sus propietarios que sigan un propósito en su trabajo.

vida. Por ejemplo, cuando la zona de la salud y la familia se encuentre en el salón, elige obras que para ti representen la salud y la vitalidad, a la vez que resulten adecuadas para el salón (figura 4A). Si la zona de la salud y la familia está situada en el dormitorio, puede que tengas que escoger obras totalmente distintas, como la de la figura 4B.

El arte espiritual que sea significativo para ti, también es una potente forma de atraer y activar el chi. Esto incluye imágenes de ángeles, santos, grandes maestros, dioses, diosas y místicos. El mandala tibetano pintado a mano y la estatua de la figura 4C están en la zona de la carrera profesional del salón de una pareja y les recuerdan que han de mantener un propósito en su trabajo. Aquí, una vez más, la clave es elegir los símbolos que para ti tengan un sentido personal y te inspiren. Coloca arte espiritual en cualquier área bagua que desees mejorar.

El arte original, como el que vemos en las figuras 4A, 4B y 4C, contiene mucho chi. Has de integrar tu creatividad y el arte en tu hogar. Ya sean acuarelas, fotografías, cerámica, tapices o collages, cualquier expresión artística personal o de tu familia de la que te sientas orgulloso tiene mucha fuerza. Rodéate de ellas y siente la energía que fluye en tu casa gracias a esto. Las obras originales, hechas directamente por la mano del artista, también tienen una cantidad concentrada de chi. Cuando compras obras a los artistas locales, te beneficias de su creatividad a la vez que apoyas a la comunidad. Aunque sólo unos pocos pueden comprar obras de arte originales de grandes maestros, la mayoría podemos adquirir trabajos de nuestros artistas locales.

Dedica unos momentos a observar el arte que has recopilado. ¿Qué parte de ti representa cada pieza? ¿Te gusta lo que ves? Si no es así, considera prioritario deshacerte de ello y reemplazarlo por lo que realmente te gusta. Tu arte, al igual que todo lo que te rodea, está para elevarte y nutrirte diariamente. Disfruta coleccionando arte que refleje tus metas. Exprésate y deléitate en el proceso de crear un hogar que, en sí mismo, sea un «original».

El color

El color puede activar muchísimo el chi si te gusta o absorberte por completo la energía si te desagrada. Si un color te molesta, cámbialo. Puede salvar tu matrimonio, tu salud mental o ambas cosas, como descubrió una pareja no hace mucho. A las dos semanas de haberse trasladado a su «nueva» casa, que había que reformar, se peleaban como nunca se habían peleado antes. Una mirada al papel de las paredes de la gran cocina y la sala de estar me explicó la razón. Los anteriores propietarios debían de haber comprado todo un cargamento de papel de color verde guisante y oro viejo, y empapelado con él un área de 6 metros cuadrados. La pareja pensaba quitar el papel más adelante, pero tras sus disputas (y la consulta que nos hicieron) lo quitaron inmediatamente. Al eliminar esos ofensivos colores se produjo un cambio positivo en toda la casa y en su humor. El color es poderoso y personal. Los colores que le gustan a una persona, otra no los puede soportar, y al igual que todas las herramientas para activar el chi, el color es opcional. Utiliza los colores asociados a los cinco elementos y el mapa bagua sólo si te gustan. Si no es así, busca otra forma de decorar el espacio. Ten presente que cada color básico incluye un amplio espectro de tonos y matices. El rojo, asociado al elemento fuego y a las zonas de la riqueza y la prosperidad, la fama y la reputación y el amor y el matrimonio, está presente en todos los tonos, desde el rosa claro hasta el rojo chino y el burdeos. Puedes elegir colores sutiles, brillantes, vívidos, oscuros o claros. Depende totalmente de ti. Cíñete a la paleta que te atraiga y tu elección creará una atmósfera de la cual disfrutarás a diario.

El color se puede introducir de muchas formas. Los azules y verdes, asociados a la madera y a las zonas del saber y la cultura y la salud y la familia, se pueden introducir con jarrones, libros y muebles. Las paredes se pueden pintar con atractivos tonos verdes, verde mar o azul. Una clienta, cuya zona de la salud y la familia se encuentra en el garaje, colocó una serie de objetos de los cuales puede disfrutar cada vez que entra y sale del coche. Se trataba de un cartel de un herbario, una hiedra de seda de color verde oscuro en un florero de vidrio de color turquesa y varias botellas de color azul brillante y verde que contenían aceites aromáticos. Aunque ya gozaba de buena salud cuando hizo este arreglo, observó que tenía más energía y vitalidad que antes.

El color puede nutrir tu espíritu, al igual que la comida nutre tu cuerpo. Define cuáles son tus colores favoritos. ¿Cuáles te nutren hasta los huesos, te dan energía y te sanan? Cualesquiera que sean, asegúrate de que tienes algunos de ellos en tu entorno. Elige utensilios de esos colores, como tejidos, floreros, platos y flores, y colócalos donde puedan nutrirte cuando los mires. Tanto si es el violeta claro del interior de una amatista como el vibrante resplandor turquesa de tu jarra favorita, regocíjate con los colores que te gustan.

Los cristales

Los cristales tallados esféricos, como el que vemos en la figura 4D, modulan el flujo del chi en torno a rasgos arquitectónicos extremos. Se suelen usar cuando no hay sitio para ningún otro tipo de realce. Por ejemplo, se pueden colgar cristales del techo cerca de un ángulo puntiagudo o un rincón que sobresale invadiendo una habitación, para reducir la punta del ángulo y equilibrar la circulación del chi.

Tradicionalmente, los cristales se colgaban con un hilo rojo de unas nueve pulgadas (23 centímetros)[1] o de una longitud múltiplo de nueve. En Occidente, la longitud y el color del hilo suelen elegirse de modo que ha-

Figura 4D
Los cristales tallados modulan el flujo del chi y se utilizan en recibidores, ventanas y retos arquitectónicos como rincones en punta, ángulos, pasillos y escaleras.

1 El nueve es una cifra yang, es el número de tonificación de la energía. Por eso, si se mide en centímetros y se desea seguir esta regla, sería conveniente escoger directamente un múltiplo de nueve. *(Nota de la T.)*

Figura 4E
Un cristal tallado redondo suspendido del centro del techo activa el chi y lo hace circular por este pequeño cuarto de baño.

gan juego con su aplicación. A algunas personas no les gusta que el hilo se vea y prefieren usar uno de color claro. Otras prefieren colgar un cristal tan sólo a unos 2 o 5 centímetros del techo para no chocar con él. Hazlo como prefieras, con la certeza de que el cristal cumplirá su función de cualquier modo. Su tamaño oscila entre 10 y 75 milímetros, aunque los de 25 o 30 son los más populares para los fines del Feng Shui.

En los cuartos de baño, los cristales contrarrestan los efectos de drenaje del lavabo, el inodoro y el baño activando el chi y haciéndolo circular. Cuelga un cristal del techo a mitad de camino entre el inodoro y la puerta, o en medio del techo cuando el inodoro se pueda ver desde la puerta, como en la figura 4E.

Los cristales también modulan el chi en los pasillos largos. Cuélgalos bastante por encima de la cabeza, como a unos 3 metros, o bien utiliza uno o más apliques de cristal tallado para conseguir el mismo efecto. A fin de frenar la cascada de chi que cae por una larga escalera, cuelga un cristal tallado o un aplique de cristal al inicio de la misma.

Las ventanas con vistas atractivas que te llevan hacia ellas tienen el mismo efecto sobre el chi. Para atrapar el chi y hacerlo circular, cuelga un cristal delante de cualquier ventanal (figura 4D), especialmente de uno que tenga una buena vista. Para equilibrar el flujo del chi entre dos puertas o una puerta y una ventana situadas directamente una frente a otra, cuelga un cristal a medio camino entre ellas.

(**Nota importante**: *Los cristales colgados en las ventanas que reciben la luz directa del sol han provocado incendios. Si tu ventana está expuesta a la luz directa del sol, cuelga el cristal a una distancia y altura seguras o elige otra herramienta.*)

Cuando una habitación parece estancada o necesita una limpieza, cuelga un cristal en el centro. Tiene más efecto si es el único cristal de la habitación, ya que a través de él circula una onda de chi clara y limpia. No utilices demasiados cristales en una habitación o área. Demasiadas ondas procedentes de múltiples cristales pueden impedir que el chi fluya equilibradamente, en lugar de activarlo.

Los cristales simbolizan la circulación saludable y alegre del chi a través de tu cuerpo, mente y espíritu. Representan tu capacidad para seguir tu propio ritmo. Si sientes que la vida va demasiado deprisa o demasiado despacio es que has de modular el flujo. Dedica un tiempo a aclarar los cambios que necesitas en tu estilo de vida para poder seguir tu ritmo correcto.

La iluminación

La iluminación es una forma sencilla de activar el chi en tu hogar. Esto incluye la luz de lámparas incandescentes o halógenas, así como velas, lámparas de aceite y luz natural del sol. La luz puede llenar un rincón oscuro

Figura 4F
*Una buena
iluminación activa
el chi y en el Feng
Shui se suele
utilizar para
suavizar o
iluminar los
rincones.*

Figura 4G
*Esta artística lámpara, con su representación de un puerto, ha sido colocada
intencionadamente en la zona de las personas serviciales y los viajes.*

(como en la figura 4F), elevar un techo bajo, camuflar un ángulo puntiagudo o iluminar una habitación sombría. Puesto que siempre estamos buscando el equilibrio, no queremos iluminar en exceso ninguna zona o dejarla con poca luz. Pon reguladores de la intensidad de la luz a las lámparas para crear el ambiente que desees en cada momento; utiliza también programadores para que cuando llegues a casa esta no esté a oscuras. Cuando construyas tu casa, piensa detenidamente en la iluminación, instala apliques, luces halógenas empotradas, puntos de luz, luces para vitrinas y cuadros, guías con focos direccionables y enchufes. Al igual que con otros utensilios para activar el chi, la iluminación se puede emplear para representar los colores o el elemento asociado a una zona bagua, como la lámpara de mesa de la figura 4G. Cuando utilices una luz para infundir energía a una área bagua, procura dejarla encendida el máximo tiempo posible hasta que experimentes un cambio positivo.

En el mejor de los casos, la iluminación es arte. Elige lámparas e instalaciones de luz que den carácter a tu decoración. Distribuye las lámparas con otros objetos queridos y deja que la luz que inunda tu casa refleje tu creatividad y tu luz interior. Si hay una zona oscura en tu casa, observa a qué zona del mapa bagua corresponde. A menudo las zonas oscuras de la casa coinciden con aspectos oscuros de la vida. Vuelve al mapa bagua (capítulo 2) y empléalo como guía específica para «iluminar» tu mundo interior a la vez que iluminas artísticamente tu hogar.

Fluorescentes: Aunque dan bastante luz, los tubos fluorescentes estándar hacen bastante ruido, parpadean y sólo emiten una parte del espectro de la luz. Son famosos por proyectar una luz enfermiza y artificial sobre toda persona o cosa que iluminan y pueden agotar el chi, especialmente cuando están situados directamente encima de la cabeza. Las bombillas fluorescentes que emiten todo el espectro son mejores, pero siguen haciendo ruido y parpadean, por lo tanto no son recomendables para los sitios donde se pasa mucho tiempo, como la cocina o el despacho. Es mejor recurrir a las lámparas incandescentes o halógenas. He visto muchas cocinas donde los fluorescentes en el techo eran la principal fuente de irritabilidad en la familia. Cuando se sustituyeron por luces más cálidas, la cocina resultó cómoda, un lugar agradable donde pasar el tiempo preparando la comida con los amigos y la familia. Quita los fluorescentes

Figura 4H

Antes de los retoques Feng Shui, el cuadro ardiente encima de la chimenea, las flores y piñas secas alrededor de la misma y los troncos chamuscados creaban un entorno seco en constante peligro de incendio.

que estén justo encima de tu cabeza, tanto en casa como en la oficina, e instala lámparas o focos de mesa cerca de ti. Te sorprenderá ver cómo mejora tu nivel de energía.

Luces de seguridad: Elimina los riesgos de andar a tientas en la oscuridad instalando luces de emergencia. Se presentan de muchas formas y colores atractivos y pueden suponer que los pasillos, escaleras, cuartos de baño, desvanes, sótanos, armarios y otros lugares oscuros dejen de ser zonas peligrosas.

Chimeneas y velas: Las chimeneas pueden ser una maravillosa fuente de calor y de luz, a la vez que son una poderosa representación del elemento fuego. Sin embargo, ya que a menudo son de tamaño considerable, también pueden resultar demasiado ardientes y quemar el chi de la habitación. Puedes equilibrar el efecto de la chimenea colocando cerca un símbolo del elemento agua, como algún adorno que contenga agua o la

Figura 4I

La equilibradora influencia del espejo, el abanico decorativo, las plantas vivas y los objetos naturales significativos refrescan y armonizan la zona de la chimenea. Otras mejoras Feng Shui son la colocación del televisor dentro de un armario cerrado (puede verse en el espejo) y la redistribución de los muebles para fomentar la conversación y la comunicación familiar.

represente, un espejo, mamparas de cristal para la chimenea o cualquier tipo de decoración con cristal. Mantén limpia la chimenea y coloca troncos para la próxima vez que la enciendas. Pon plantas sanas, flores frescas o cualquier tipo de pantalla de adorno delante de la boca de la chimenea cuando no la utilices.

Las figuras 4H y 4I son un ejemplo de cómo se equilibra una chimenea. En la figura 4H vemos un cuadro abrasador sobre una chimenea desordenada. Las flores y piñas secas y viejas alrededor del hogar parecen una mecha dispuesta a prender en cualquier momento y provocan irritabilidad y sensación de peligro. La familia tenía muchos conflictos y arrebatos de genio en este lugar, síntomas de la superabundancia del elemento fuego. La figura 4I muestra un entorno más equilibrado, tras haber sido reemplazado el cuadro por un espejo y ordenado el espacio alrededor de la boca de la chimenea, con un abanico a modo de pantalla y plantas vivas. Las piñas recogidas durante unas vacaciones se guardaron para que sirvieran de recordatorio a la familia de que tenían que relajarse y disfrutar de la vida. Estos sencillos cambios equilibraron el chi y aportaron el valiosísimo regalo de la paz y la armonía en el hogar.

Las chimeneas, cuando no se usan, se pueden convertir en grutas donde colocar objetos naturales decorativos, estatuas o velas, como en la figura 4J.

Las velas son otro tipo de iluminación que activa el chi, aportan luz y calor a una habitación y suponen una forma fácil de experimentar con colores y formas nuevas. Se pueden usar para dar energía a una zona bagua o para representar uno o más de los cinco elementos. Las velas también son magníficas para propiciar estados de ánimo, ya sea un estado de

Figura 4J
Durante los meses de verano, esta chimenea se convierte en un «candelario».
La arena cubre el suelo, sobre el cual se disponen varios candeleros durante la estación estival.

introspección en el santuario, intimidad en el dormitorio o una atmósfera cálida y alegre en el salón y en el comedor. Las mejores velas son las que no gotean y no están perfumadas o bien les han agregado un aroma de forma natural.

Los seres vivos

Los seres vivos, como las plantas sanas, las flores, los animales domésticos habituales y otro tipo de fauna, son portadores de energía vital. Aportan la fascinación de la naturaleza al interior de nuestro hogar, dan vida y color y refuerzan nuestra valoración de la vida.

Plantas: Las plantas son excelentes instrumentos para activar el chi cuando están sanas y radiantes. Son una muestra de la variedad y la belleza de la naturaleza y nos ayudan a estar conectados con la maravilla del mundo natural. También aportan el beneficio básico de limpiar el aire que nos rodea. Elige plantas que tengan un aspecto agradable, como las que tienen hojas grandes y redondeadas o las que son suaves y elegantes. Existen muchas variedades de plantas de esta categoría: schefflera, philodendron, pothos, jade, crotón, hiedra, plantas de interior chinas, lirios, ficus y la mayoría de las drácenas y las palmeras. Las plantas con formas poco amistosas o con pinchos no son recomendables, a menos que estén lejos de las personas. Entre ellas se encuentran la *Dracena marginata*, el sagú, la yuca y la mayoría de los cactus y bromeliaceas. Si tienes este tipo de plantas y deseas conservarlas, agrúpalas en un lugar seguro lejos de las personas y junto a otras plantas más amigables.

Cuando unos clientes que tenían un negocio en su casa me invitaron a ir a verles, me recibió un espinoso cactus que crecía en macetas a lo largo del pasillo de entrada. Los abundantes espinos no transmitían su deseo de ampliar su cartera de clientes y sus oportunidades comerciales. Trasladaron la colección de cactus del pasillo de entrada a un lugar donde se pudiera contemplar desde cierta distancia y adornaron el corredor con macetas de flores y plantas aromáticas. El negocio mejoró inmediatamente. Las nuevas plantas amistosas, símbolos de bienvenida, abrieron paso para que a través de su puerta fluyeran clientes y oportunidades.

En el Feng Shui se suelen utilizar las plantas para suavizar los ángulos y rincones que crean el mobiliario y la propia estructura del edificio. Las enredaderas, como el pothos y la hiedra, son excelentes para llenar esquinas o suavizar ángulos que irrumpen en una habitación. Una planta bien elegida puede transformar una habitación, tal como vemos en las revistas de decoración. Al elegir la planta correcta para tus necesidades, asegúrate de que puedas ofrecerle el entorno y la luz adecuados para su buen crecimiento. Muchas variedades de plantas de interior que se han desarrollado para crecer en lugares donde hay poca luz crecen despacio, como la mayoría de los helechos, drácenas y aglonemas. Por otra parte, hay muchas plantas de interior que dan flores y necesitan una luz muy brillante para vivir. Cuando sea necesario, instala iluminación adicional para asegurar su salud y vitalidad.

Cuando una planta enferma o deja de estar lustrosa es mejor reemplazarla. No pierdas mucho tiempo cuidando una planta para que vuelva a estar sana, a menos que tengas un invernadero o una zona especialmente destinada a hospital de plantas. Las plantas sanas y radiantes favorecen el chi; las enfermas, no. Plantéate contratar servicios de jardinería para el mantenimiento de tus plantas y para reemplazarlas cuando sea necesario.

Asegúrate de poner las plantas en maceteros o recipientes que sean agradables para la vista y el espíritu. Confía en los cinco elementos y en el mapa bagua para escoger los colores, las formas y los materiales de los maceteros que correspondan al área o elemento con el que estés trabajando. Asegúrate de proteger tus suelos y muebles de las salpicaduras y la condensación con platos o alfombrillas impermeables.

Las plantas de seda se pueden usar en zonas que sean demasiado oscuras, demasiado altas o que pasen mucho tiempo sin cuidados. Mientras parezcan sanas y vivas, son buenas sustitutas de las plantas naturales. Dobla y moldea las ramas y las hojas para que tengan una apariencia más natural. Las plantas de seda suelen durar más que las flores de este mismo material, entre unos 18 y 24 meses. Quítales el polvo con un secador del pelo y límpialas regularmente con un producto específico. Puesto que las ramas y las plantas secas suelen parecer muertas, no son recomendables para activar el chi.

Flores: Las flores naturales dan color y sensualidad a cualquier habitación. «Las flores son las cortesanas de la naturaleza —dice Ilse Crawford en *The Sensual House*—. Elevan la moral, perfuman el ambiente y pueden ser comestibles y medicinales.» Un ramo de flores de muchos colores encarna la danza viva de los cinco elementos, mientras que las flores de un solo color pueden resaltar un elemento concreto. Los tulipanes, los claveles o las rosas rojos encenderán el elemento fuego, mientras que los crisantemos o las margaritas reforzarán el elemento metal. Las flores también se pueden elegir artísticamente para realzar las zonas bagua de la casa, como dos rosas de color rosa para la zona del amor y el matrimonio o lirios morados en la zona de la carrera profesional.

Figura 4K
Este es un perfecto ejemplo de flores secas «muertas», que se encontraba al lado de la chimenea de la figura 4H.

Figura 4L
Estas flores secas «frescas» alegran una casa de huéspedes rural y se cambian cada estación.

(**Nota importante**: *Al igual que las flores pueden activar el chi, también pueden consumirlo si no se las cuida adecuadamente. Conserva las flores mientras estén radiantes y frescas. Cuando empiecen a marchitarse, cuídalas o sustitúyelas inmediatamente.*)

Las flores secas, incluyendo guirnaldas, centros de mesa y otros adornos florales, son una alternativa para las flores frescas, pero tienen una vida más corta de lo que la gente cree. Muchos profesionales del Feng Shui desaconsejan su uso por este motivo. Las flores secas pierden su vibración —su chi— a los tres o cuatro meses y, al igual que las flores frescas, pueden consumir la energía de un lugar si se conservan demasiado tiempo. He visto casas donde las flores secas habían muerto hacía años y en lugar de activar el chi lo consumían, como en la figura 4K. Disfruta de las flores secas, como las de la figura 4L, teniendo presente que son un adorno floral más duradero pero no son eternas.

Los popurrís de flores tampoco están muy bien vistos en el Feng Shui por la misma razón que las flores secas. La gente suele conservarlos mucho tiempo después de que han perdido sus cualidades para activar el chi. Si te gustan los popurrís, escoge una mezcla que contenga componentes naturales y asegúrate de sustituirlos en cuanto hayan perdido su fragancia, que puede ser una vez a la semana. Los popurrís perfumados con aceites esenciales son los mejores. Tú te puedes hacer tu propia mezcla con pétalos secos, vainas y hojas con tus aceites aromáticos favoritos.

Figura 4M
Este es uno de los mejores activadores de chi vivos, si te gustan los gatos. Garfield es amado y adorado por la familia y da vida a la casa con sus gracias.

Las flores de seda y de plástico son otra alternativa a las flores frescas y secas. Duran más tiempo que las frescas o secas y generalmente mantienen su vibración aproximadamente un año. Asegúrate de limpiarlas regularmente.

Animales de compañía: Las mascotas como Garfield —figura 4M— son baterías naturales de chi y pueden despertar el espíritu de ternura en casi todo el mundo. Es de dominio público que llevar animales domésticos a los hospitales y residencias de ancianos refuerza la salud y aumenta el bienestar de los pacientes y residentes. Como siempre sucede en el Feng Shui, la clave es el cuidado. Cuando tratas a los animales con amor y dignidad, aportan una gran energía a tu casa.

Cuando tus animales domésticos estén dentro de casa, procura tener un rincón especial para ellos. Los perros y los gatos necesitan una cama, una alfombra o un colchón propios, mientras que los más pequeños necesitan sus jaulas o peceras que les proporcionen el espacio suficiente para crecer y vivir una vida saludable y feliz. Limpia y renueva a menudo el lugar donde duermen para asegurar su salud y vitalidad, así como la calidad del chi que fluye por tu casa. No permitas que nadie —niño o adulto— maltrate o rechace a un animal doméstico. Enseña a los niños a cuidar de los animales, asegúrate de que sigan tus instrucciones. Esto es importante con cualquier tipo de animal doméstico, incluidos los peces, hámsteres y reptiles. Esmérate en la limpieza de las jaulas de los hámsteres y conejos, tápalas y procura que no estén en un lugar que obstruya el paso, ya sea en el garaje, en el cuarto de baño o en un trastero con puerta para gatos. Si tus animales viven fuera de casa, también necesitan un lugar limpio y seco y espacio para hacer ejercicio. Las casetas de perros y los establos para caballos han de ser amplios y estar limpios.

Animales salvajes: El chi se intensifica dentro y fuera de casa invitando a los pájaros a que visiten el jardín, los balcones y las ventanas. Cuanto más urbana sea la vivienda, más importante es. Si tenemos jardín, deberíamos incluir tres bañeras para pájaros, un pequeño estanque, un comedero y una cesta con cacahuetes. En el jardín de mi casa, dos arrendajos son los «dueños» de la cesta de cacahuetes, mientras que una hueste de pájaros se bañan, comen y juguetean. Los arrendajos llevan todos los

Figura 4N
Este gran armario con espejos en las puertas mantenía eficazmente el dormitorio «despierto» durante toda la noche e impedía que el chico que dormía allí descansara adecuadamente.

años a sus crías para enseñarles a comer cacahuetes. También nos visitan dos mapaches varias veces a la semana para disfrutar del estanque. Ofrecemos a estas criaturas una reserva dejando una parte de nuestra tierra en estado natural. En la medida de tus posibilidades, lleva la naturaleza con todo su chi lo bastante cerca de tu casa como para disfrutar de ella a diario.

Los espejos

Los espejos son el instrumento favorito para activar el chi porque hacen un gran trabajo moviéndolo y haciéndolo circular por el hogar. Iluminan zonas oscuras, proporcionan sensación de seguridad y reflejan vistas hermosas. También pueden «curar» o compensar retos arquitectónicos como las columnas, los ángulos y los rincones; dan amplitud visual a los espacios reducidos, como pasillos y recibidores, que de otro modo resultarían muy agobiantes.

Puesto que los espejos activan el chi, su presencia hace que una habitación tenga más vida. Son muy adecuados para el salón, la sala de estar, el despacho y la cocina. Cuanto más grande sea el espejo, mejor. Sin embargo, los espejos también pueden activar demasiado el chi en habitaciones que se supone han de ser relajantes, como el comedor y los dormitorios.

Figura 4O
Una cortina que se pueda descorrer por la mañana y correr por la noche resuelve el problema. Ahora su ocupante puede tener los espejos y descansar.

Una de las formas más rápidas de calmar un dormitorio y a sus ocupantes es quitar o cubrir los espejos. Los grandes espejos, como los de las puertas de los armarios, pueden ser tratados como si fueran ventanas, con cortinas o persianas que se descorren para dar la bienvenida a la luz del sol y que luego se corren para aquietar la habitación por la noche, como vemos en las figuras 4N y 4O. Estas fotografías son de la habitación de un adolescente. Un mes después de que la familia se hubiera mudado a su nueva casa, la madre se dio cuenta de que dormía con una luz encendida. Cuando le preguntó cuál era la razón, él le respondió con un poco de vergüenza que su habitación le ponía la piel de gallina. Se despertaba en mitad de la noche y, a menos que dejara la luz encendida, sentía como si hubiera alguien más. Ese «alguien» era el «desvelador» chi de los grandes espejos. Su madre hizo cortinas a juego con su ropa de cama y desde la primera noche que estuvieron colocadas dejó de experimentar la sensación de que se le ponía la piel de gallina y durmió apaciblemente.

Otras opciones pueden ser cubrir las puertas con espejos de un modo más permanente con trozos de tela a medida o paneles de madera, o bien sustituir las puertas. También puedes cubrir los espejos de los aparadores con pañuelos o telas bonitas por la tarde y descubrirlos por la mañana. Cuando no puedes ver la puerta desde la cama, cuelga estratégicamente en tu dormitorio un espejo pequeño (u objeto decorativo con vidrio reflectante) donde se refleje.

Es importante elegir espejos que reflejen imágenes enteras. Los espejos brillantes y claros reflejan un chi claro y brillante. Por lo tanto, los mejores son los espejos grandes y de una pieza. Los que tienen cenefas biseladas en los bordes están bien, pero no son recomendables los adornos biselados que parten el espejo, los espejos antiguos rotos o empañados y los espejos por piezas.

En casa de mi clienta Sally vi una gran pantalla hecha con una docena de finos paneles de espejos biselados. Estaba situada justo detrás del sofá del salón, dominaba la habitación. La estancia era bonita, pero las imágenes partidas que reflejaba me daban la impresión de estar perdida en un «laberinto de espejos». Cuando le expliqué el efecto de los espejos, Sally obtuvo la respuesta a una gran pregunta. No entendía por qué sus citas solían acabar de manera tan brusca. Invitaba a sus pretendientes, se sentaban en el salón y lo siguiente que sucedía es que empezaban a dis-

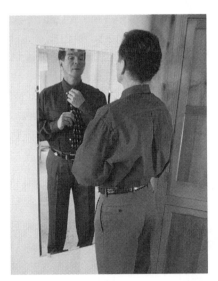

Figura 4P (*izquierda*)
El espejo está colgado demasiado abajo y corta la cabeza del hombre, lo cual afecta negativamente a la imagen que tiene de sí mismo.

Figura 4Q (*derecha*)
Sustituyó el primer espejo por otro más grande y lo colgó a la altura correcta para poder verse entero.

cutir. A raíz de ello, su vida sentimental siempre salía perjudicada. Sally sustituyó inmediatamente los espejos por uno grande de una sola pieza que reflejaba una agradable imagen de la habitación. Al cabo de un mes había establecido felizmente una relación sentimental.

Tal como muestra la figura 4Q, todos los espejos han de reflejar nuestra cabeza entera, dejando varios centímetros de margen por arriba. Evidentemente, en una casa donde vivan varias personas, los espejos han de ser lo bastante grandes para reflejar las cabezas de los más bajos y de los adultos más altos. (Los espejos pequeños que no se usan para mirarse son una excepción a esta regla.) Ver una imagen completa y clara de nosotros mismos aumenta nuestra autoestima, mientras que los espejos que cortan nuestra imagen en trozos, como en la figura 4P, tienen el efecto contrario.

Hubo un caso en que uno de mis clientes, que había vencido satisfactoriamente su adicción al alcohol, empezó a beber de nuevo tras haberse cambiado de casa. En el dormitorio que compartía con su esposa tenía un gran espejo compuesto de muchas piezas pequeñas biseladas que partían la imagen de su cuerpo cada vez que se vestía. Puesto que el armario de su mujer estaba en otra habitación, ella no se había dado cuenta de lo desagradable que era usar ese espejo. Lo que es aún peor, el espejo estaba colgado demasiado bajo y le cortaba un gran trozo de cabeza, ofreciéndole a diario una imagen encorvada y partida de sí mismo. La pareja reemplazó el ofensivo espejo por una decoración serena e instaló un espejo de todo el ancho del ropero en la cara interna de la puerta. Menos de dos semanas después de haber realizado estos cambios, él estaba participando en un programa de rehabilitación que le ayudó a dejar de nuevo la bebida.

También es importante que los espejos realcen la belleza y la armonía de la habitación reflejando una vista agradable. Si alguno de tus espejos refleja algo desagradable para la vista, cámbialo de sitio o añade un elemento agradable que embellezca el reflejo y, por consiguiente, la habitación. Evita que los espejos cuelguen directamente uno encima de otro, pues los múltiples reflejos podrían desorientar.

En el Feng Shui, los espejos pequeños a veces se usan para devolver los conflictos a su origen. Si tienes una vista desagradable de líneas de alta tensión, esquinas afiladas y ángulos de otros edificios —o un vecino abominable—, puedes colgar un espejo pequeño en dirección al problema y este devolverá el problema a su lugar de origen. Se puede colocar en la parte exterior de una ventana o de una puerta que tengan una vista desagradable. O bien, según la localización del problema, se pueden colocar espejos pequeños detrás de un cuadro, debajo de una alfombra o en el techo. Muchas veces, el espejo no llega a verse cuando está en su lugar. Basta con recordar que se ha de colocar el lado reflectante del espejo hacia el problema.

Un espejo utilizado de este modo devuelve simbólicamente la energía invasora a su lugar de origen y crea una barrera entre el ofensor y tú. Es de vital importancia infundir vida al espejo con tus bendiciones y tu clara intención de mejorar el chi. Es un acto de establecer unas barreras claras, no una maldición. Si tu detestable vecino se muda de repente o te lleva galletas, ¡sabrás que el espejo está funcionando! Los espejos pequeños que se usan para estos fines los puedes encontrar en las tiendas chinas especializadas; también puedes colocar espejos compactos como los que se usan en cosmética.

Los espejos son un símbolo de tu propia imagen. Practica diariamente mirarte al espejo radiante de felicidad, sano y rico. Esta práctica construye y refuerza constantemente tu magnetismo y tu sentido del yo. Mientras que los espejos sólo pueden mostrarte tu exterior, tu espejo interior refleja y sublima tu espíritu.

Los objetos de la naturaleza

Las creaciones de la naturaleza, como las rocas, las piñas, las vainas con semillas, maderas que hayas encontrado en la playa, nidos de pájaros y conchas, pueden ser grandes instrumentos para activar el chi y son sencillos de cuidar. Cuando están cargados con nuestras experiencias personales, estos objetos se convierten en sagrados y pueden reavivar recuerdos de momentos especiales que hayas pasado en la naturaleza. Una hermosa roca que hayamos encontrado durante las vacaciones mantendrá vivo el recuerdo de esos días en la montaña durante años. Las piñas recogidas durante un retiro para hacer una cura de salud pueden simbolizar una salud radiante, mientras que las conchas marinas encontradas en la playa pue-

Figura 4R
Esta colección de piedras talladas y pulidas representa simbólicamente los atributos del servicio, la claridad, la receptividad, el amor y la compasión, a la vez que refuerza la zona de la riqueza y la prosperidad en la mesa de trabajo.

den retener el chi de un momento mágico en que te sentías totalmente relajado y rejuvenecido.

Los objetos de la naturaleza pueden ayudarte a mantener tus metas, deseos y aspiraciones. La figura 4R muestra una colección de piedras que simboliza los atributos que su propietaria quiere tener presentes mientras trabaja. Esta colección, situada en la zona de la riqueza y la prosperidad de su mesa de trabajo, es un recordatorio de las múltiples bendiciones de la vida.

Yo tengo una nuez de nogal americano que encontré hace muchos años en el bosque. En esa época hacía semanas que buscaba piso y no encontraba nada que se adaptara a mis necesidades. Frustrada, me senté bajo el nogal y recé para ser guiada hacia el lugar perfecto. A mi lado, en el suelo, había una nuez y la cogí como símbolo de mi búsqueda. Esa misma tarde, con la nuez en el bolsillo, encontré el piso perfecto. Incluso hoy, me recuerda lo agradecida que me sentí por haber encontrado una casa.

Los objetos naturales grandes, como troncos o piedras redondeadas, también se pueden introducir en la decoración del hogar. En el Feng Shui se considera que las rocas y piedras redondas son grandes almacenes de energía natural y refuerzan el chi en cualquier zona bagua. Puedes incorporar troncos, maderas de la playa o rocas en la decoración de tu hogar, o bien colocarlos como piezas principales o en lugares que destaquen en el jardín. Estudia sus formas y características únicas; luego ponlos de modo que resalten sus cualidades inspiradoras.

Los instrumentos sonoros

Los instrumentos sonoros atraen y activan el chi. Los móviles de tubos sonoros, campanas, cortinas de cuentas, instrumentos musicales, gongs y cualquier cosa que produzca un sonido agradable se consideran objetos que activan el chi. Elige siempre un sonido resonante que eleve el espíritu cada vez que lo oigas.

El principal instrumento sonoro utilizado en el Feng Shui es el móvil de tubos sonoros como el que se ve en la figura 4S y que suele colgarse en la entrada principal para atraer energía positiva. Elizabeth Murray, en su libro *Cultivating Sacred Space*, dice que los tubos sonoros «le sacan música al viento; emiten el sonido armónico universal que interpreta la naturaleza espontáneamente». Los instrumentos sonoros melodiosos también estimulan la energía en una zona que provoque claustrofobia y estancamiento. Limpian el espacio y lo devuelven a un estado más neutral y energético, reducen el estrés, la enfermedad y la apatía. Al igual que

Figura 4S
Los móviles de tubos sonoros son instrumentos clásicos para atraer el chi con sus tonos resonantes. Este móvil realza el área del saber y la cultura de esta casa.

los instrumentos sonoros, la música y los sonidos de la naturaleza también se pueden usar para calmar o aportar energía a una habitación y a las personas que se encuentran en ella. Elige aquellos sonidos —música romántica, relajante o que levante el ánimo— que fomenten pensamientos y sentimientos que deseas experimentar.

Figura 4T
El piano de este salón realza el área de los hijos y la creatividad. Encima del piano hay fotografías de niños y amigos. Lynn Hays se inspiró en el jardín que rodea la casa para pintar el cuadro que se ve detrás del piano.

Los instrumentos sonoros también dan seguridad al anunciar la llegada de algún visitante. Los melodiosos sonidos que emiten las cortinas de cuentas, las campanas o los móviles de tubos sonoros ayudan a definir las fronteras entre dos áreas, como el salón y el comedor o la entrada principal y el recibidor. Todos los instrumentos sonoros, incluidos los musicales, como guitarras, flautas y pianos (figura 4T), pueden activar el chi en una zona bagua específica cuando se aprecian y se tocan con regularidad.

Las fuentes artificiales

Las fuentes artificiales atraen y crean chi vital. El agua en movimiento, como la de las fuentes y cascadas, contiene componentes visuales y sonoros, ofrece una imagen agradable adonde dirigir la mirada y el oído. Existe una gran variedad de fuentes y cascadas para interiores y exteriores de todos los precios, o también puedes fabricártela tú mismo (véase la bibliografía para manuales de instrucciones). Los acuarios se consideran excelentes instrumentos para activar el chi, ya que reúnen los cinco elementos: madera (plantas), fuego (peces), tierra (arena), metal (rocas) y agua en un entorno dinámico.

Adapta tu fuente o cascada para que suene como el murmullo natural de una corriente de agua, no como la cisterna de un inodoro. Ciertos sonidos de agua pueden causar mucha distracción. Por ejemplo, una

FIGURA 4U
Una pequeña fuente adorna un altar en el santuario de la casa. Alrededor de la fuente hay otros objetos personales para activar el chi, entre ellos una cita enmarcada, una fotografía, una estatua, una «caracola vela» y libros inspiradores. En esta distribución también se han incluido representaciones de cada uno de los cinco elementos.

clienta dio una cena al poco tiempo de instalar una fuente en su comedor. Observó que nadie podía permanecer sentado durante toda la cena sin tener que excusarse en algún momento para ir al lavabo, ¡incluso ella misma! Ajustó el sonido de la fuente y la necesidad de ir al lavabo a mitad de la cena desapareció.

Una fuente suele ser el elemento principal de un altar (como en la figura 4U) o de un espacio consagrado a la naturaleza. Muchas personas han descubierto que una pequeña fuente de mesa colocada sobre su escritorio las ayuda a relajarse y concentrarse durante todo un día de frenético trabajo. La acogedora y estética presencia de las fuentes es muy adecuada para los recibidores, así como para la habitación de un bebé. Una de mis entusiastas clientas tiene una fuente en cada habitación de la casa; está convencida de que cada una de ellas favorece la abundancia de trabajo, el descanso y el recreo en su vida.

Las fuentes de interior, las cascadas y los acuarios son instrumentos excelentes para activar el chi de cualquier zona bagua interior. Se considera que son especialmente poderosas en las áreas de la riqueza y la prosperidad y de la carrera profesional, porque contienen el elemento agua que está directamente relacionado con la abundancia de dinero y recursos.

Las fuentes artificiales también son una buena alternativa para reforzar las zonas bagua exteriores inexistentes. Llenan el rincón o la pared exterior del edificio que «falta» y completan simbólicamente la estructura, a la vez que aseguran el flujo y la circulación constante de chi. En cualquier caso, el agua de la fuente ha de fluir en dirección a la casa, hacia el interior de la habitación, o hacer un circuito de 360 grados para dirigir correctamente la energía.

Todas las fuentes necesitan limpieza y mantenimiento regulares. Usa agua destilada para no tener que limpiarla tan a menudo. Cerciórate de que los muebles y la tapicería que hay alrededor de la fuente no se estropean con las salpicaduras.

Los estanques y jacuzzis también entran dentro de esta categoría y deben conservarse limpios, bien iluminados, tener un buen mantenimiento mecánico y, en muchas ocasiones, estar vallados por razones de seguridad. Al elegirlos o diseñarlos, amplíalos incluyendo una cascada que fluya hacia la casa y reálzalos con un bonito paisaje, una buena iluminación y asientos cómodos a su alrededor.

Mientras disfrutas contemplando tu fuente, recuerda que simboliza la prosperidad que fluye hacia tu casa. La riqueza llega de un millar de formas, desde el amor que recibes de tu familia y amigos hasta las oportunidades que tienes de crecer y prosperar. Cuenta tus bendiciones, escríbelas —lleva lo invisible al mundo material— y observa cómo se multiplican.

Los bailarines del viento

Los bailarines del viento —como los móviles, molinetes, estandartes, banderas de oraciones y veletas— atraen, avivan y refuerzan el chi. Dentro de casa se pueden usar para aligerar las vigas, definir y mejorar las habitaciones y reforzar las zonas bagua, tal como vemos en la figura 4V.

Figura 4V
Esta bandera de oraciones de Geri Scalone recoge los colores de los cinco elementos en una dinámica pieza, a la vez que refuerza la zona de la fama y la reputación y cubre la ventana de una sala de meditación y sanación.

Los bailarines del viento son muy variados y se pueden hacer casi con cualquier cosa. Uno de mis clientes hizo un móvil con tarjetas de felicitación que había recibido de sus amigos y lo colgó en la zona de la salud y la familia de su dormitorio. Cuando compremos o hagamos un móvil, hemos de elegir materiales ligeros si queremos colgarlos encima de la cabeza de la gente. También podemos fabricar nuestro propio bailarín del viento con cosas que tengan un significado especial para nosotros, como objetos de la naturaleza, fotografías o joyas.

En el exterior, el movimiento y el atractivo de los móviles atrae el chi y lo hace circular. Los estandartes y banderas, como un símbolo amistoso y memorable en el jardín delantero o cerca de la puerta principal, realzan nuestro hogar y dirigen la energía hacia la casa. También se puede usar un poste de banderas, estandartes o molinetes para marcar una zona bagua inexistente y completar simbólicamente la forma de la casa. Se puede colgar un bailarín del viento, como una bandera o un molinete, para corregir y equilibrar visualmente las condiciones extremas. Su color y su movimiento elevan los rasgos pesados, como alerones y terrazas. Si se colocan en la base de una escalera empinada, disminuyen la inclinación, mientras que si se ponen en el tejado de una casa situada por debajo del nivel de la calle, elevan su estructura.

Los bailarines del viento son símbolos del movimiento que tiene lugar desde una base sólida. Representan nuestra habilidad de fluir y cambiar con el presente y simbolizan el gozo, la creatividad o cualquier otro atributo que desees desplegar y al que te apetezca «darle rienda suelta». Elige uno que eleve tu espíritu cuando juegue con la brisa.

5

La entrada principal y el recibidor: Una oportunidad para dar la bienvenida

Un asiento, un reposabrazos, una manilla cómoda de asir, una terraza protegida del sol, una flor que crece justo al lado de la entrada, donde me puedo agachar a olerla cuando paso... Así sé, sintiendo un pequeño vuelco en el corazón, que he vuelto...

CHRISTOPHER ALEXANDER

La entrada principal —el área que te conduce a la puerta delantera, el umbral y la zona que queda justo detrás de la puerta— es importante por dos razones. Es la zona de las primeras impresiones, donde tú, tus amigos y vecinos y tu comunidad registráis inmediatamente opiniones duraderas sobre el que vive en esa casa. También es el lugar principal a través del cual entra la energía vital. Cuando la entrada principal es amplia y acogedora, transmite el deseo y la voluntad de recibir experiencias, personas y oportunidades positivas. Cuando está sobrecargada, descuidada, desordenada, o no es agradable, expresa justo lo contrario. Piensa en tu entrada principal como la avenida de la buena suerte que atrae a personas útiles y nuevas oportunidades a tu hogar. Despliega la alfombra de bienvenida y hazla fascinante.

Una entrada fascinante

Cuando diseñes la entrada de tu casa, incluye un camino imaginativo hacia la puerta principal lo bastante amplio para que quepan dos personas que vayan juntas. El acceso para entrar a pie ha de ser distinto del de la entrada para los coches, que debe estar despejado de obstáculos y de vegetación frondosa, y bien iluminado por la noche. Una verja, una pérgola o un puente atractivos aumentarán el interés y la belleza del diseño, tal como vemos en la figura 5A. Un río exterior, fresco y tranquilo, o una fuente dinámica como la de la figura 5C, pueden aportar un aire opulento o relajado. Deja que cada estación manifieste su propia belleza en la entrada a tu casa, tanto si se trata de un despliegue de brillantes flores como de exuberantes plantas de hoja perenne o plateadas plantas carnosas y hierbas aromáticas. Sea cual sea su expresión, la belleza y la gracia de las

Figura 5A
Para llegar a esta casa se ha de cruzar un puente hacia el mundo encantado de la otra orilla. Bajo el puente fluye un riachuelo susurrante con cascadas, peces koi y plantas acuáticas.

Figura 5B
Una entrada virgen, lista para ser decorada. El Feng Shui ayuda a los nuevos propietarios a diseñar su entrada principal.

Figura 5C
Una gran fuente circular decorada con geranios y amplios caminos alrededor, hacia la puerta de entrada, refuerzan la zona de la carrera profesional en la casa y en la propiedad. Dos saludables plantas de hoja perenne «para dar la bienvenida», realzadas con flores de la estación, embellecen ambos lados de la entrada principal.

ofrendas naturales crean el escenario para la joya que es tu hogar. Añade toques especiales y detalles bonitos, como bancos, muros para el jardín, estatuas, objetos naturales, plantas aromáticas y carillones.

Un umbral festivo

Procura que el color y el diseño del umbral de tu casa sean especialmente acogedores, de modo que siempre sientas que eres bienvenido. En el Feng Shui, tradicionalmente se incluye el color rojo para atraer la prosperidad y los motivos de celebración, por eso muchas personas pintan de rojo la puerta de su casa. Aunque el color rojo brillante chino es el más apropiado, cualquier tono de la gama de rojos que te guste irá bien, incluidos el rosa, el terracota, el burdeos, el púrpura y el magenta. También puedes elegir una puerta con un motivo artístico como el de la figura 5D y resaltar la zona que la rodea con flores rojas, púrpura o rosa, árboles de corteza roja o frutos del bosque, o con jardineras, alfombras y estatuas de tonos rojizos. Para que una puerta sea segura, ha de dejar ver a quien

Figura 5D
Aquí, el artista James Hubbell transforma una puerta de entrada en una obra de arte. La puerta con vitrales ofrece a los propietarios una visión del exterior sin ser vistos desde fuera. Las flores rojas y una campana (en sustitución del timbre de la puerta) realzan más el umbral y atraen el chi a la puerta.

Figura 5E
Este recibidor está situado en la zona del saber y la cultura. El acuario reúne los cinco elementos, mientras que la estatua de un buda de pie y las orquídeas representan la sabiduría y la belleza interior. La original pintura de Lynn Hays del pez nadando en un círculo que se abre hacia la derecha, dirige sutilmente el flujo del chi hacia el salón.

se encuentra en el otro lado antes de abrirla. Lo ideal es que tú puedas ver a través de ella sin ser visto. Las puertas hechas en su mayor parte de cristal se pueden cubrir con una cortina para garantizar la intimidad.

Hasta en la casa más humilde se puede tener una maceta con flores frescas, un móvil de tubos sonoros o una guirnalda de flores de la estación en la puerta para dar la bienvenida a los visitantes y dársela a uno mismo. Si no puedes hacer nada en la puerta de entrada, como suele suceder en los bloques de pisos, céntrate en hacer que el recibidor sea acogedor y agradable.

Un recibidor acogedor

Una vez que hemos traspasado el umbral, el recibidor es la continuación de esa cálida bienvenida. Tradicionalmente, el mejor cuadro de la casa se colgaba en el recibidor o cerca de la puerta principal para «dar la bienvenida» a los invitados de honor y causar una buena impresión. En una oca-

Figura 5F
En este umbral nos recibe un sofá que nos da la espalda y unos cuantos objetos situados en una lejana pared que no guardan ninguna relación. Aunque el espacio del recibidor está algo definido por el sofá, el que esté de espaldas no causa una impresión de bienvenida y los que están sentados allí no pueden ver la puerta.

sión, mi primera impresión de una clienta fue el retrato de una mujer desnuda en su recibidor. Aunque encantador, era demasiado íntimo para recibir a la gente, así que lo puso en su dormitorio. Curiosamente, en su dormitorio tenía un paisaje que era perfecto para el recibidor. Asegúrate de que cualquier tipo de arte que escojas para el recibidor transmite adecuadamente una invitación. En los recibidores grandes, como el de la figura 5E, se pueden agrupar acuarios, esculturas, plantas, muebles, iluminación y fuentes.

Cuando el recibidor es pequeño, procura no sobrecargarlo aunque sea con la intención de que resulte acogedor. Quita cualquier mueble que dificulte la apertura total de la puerta o de las puertas del armario y coloca un espejo o algún cuadro que tenga profundidad para hacer que resulte más espacioso.

Figura 5G

Tras aplicar los principios del Feng Shui, nos recibe una puerta roja y una zona de alfombras que nos guían hacia la casa. La estantería define los límites de un acogedor recibidor e incluye una pequeña fuente para reforzar la zona de la carrera profesional. Los estantes también ofrecen un lugar para los zapatos, así como una cesta con calcetines para los invitados. Una serie de objetos para dar la bienvenida, entre los que se encuentran un jarrón de Alex Long y un cuadro de Louise Hoffman, están atractivamente distribuidos en la pared de la izquierda para recibir a los invitados y atraer la energía hacia la habitación.

Independientemente del tamaño del recibidor, siempre es posible convertirlo en un cálido lugar de bienvenida. Aunque no tengas un recibidor oficial, distribuye los muebles de modo que sugieran uno y coloca símbolos de bienvenida cerca de la puerta, como en la figura 5G. Haz todo lo posible para ofrecer a tus invitados y ofrecerte a ti mismo una cálida bienvenida.

Mantén el recibidor limpio de objetos transitorios, como juguetes, equipo deportivo, desechos reciclables y correo. Busca un sitio para estas cosas en armarios y muebles. Piensa también en hacer que tu casa esté libre de zapatos. Diseña un lugar cerca de la puerta de entrada para guardar zapatos y ten zapatillas o calcetines para los invitados. Esto te ayudará a mantener la casa limpia y también simboliza que dejas en la puerta tus preocupaciones mundanas.

Sean cuales sean tus gustos y preferencias en cuestión de colores, estilos y diseños, presta a tu entrada la atención necesaria para conseguir que sea lo más acogedora y estética posible. Al hacerlo, atraerás una cornucopia de grandes relaciones y experiencias a tu vida.

Duplica el encanto con el mapa bagua

El mapa bagua (capítulo 2) puede hacer que la decoración para el recibidor resulte doblemente significativa (véanse figuras 5E y 5G). Un recibidor antiestético, caótico o de algún modo desagradable afecta a la calidad de vida. Por ejemplo, una escritora muy famosa que había tenido mucho éxito se dio cuenta de que sus compromisos profesionales habían disminuido considerablemente en los últimos meses. Su puerta principal estaba en un segundo plano, de modo que en la zona de la carrera profesional se encontraban el camino de entrada y el patio, que estaban llenos de plantas espinosas y de macetas con plantas moribundas o muertas. La destrozada mosquitera de la puerta estaba parcialmente bloqueada por más plantas tristes y oxidadas herramientas de jardín. Todo el entorno indicaba claramente de qué modo había frenado su carrera.

Cuando se dio cuenta de que su remendada y espinosa entrada simbolizaba su carencia actual de oportunidades, remozó por completo el patio, puso un móvil de tubos sonoros, plantas sanas, muebles de exterior y una fuente que, como ella misma expresó, aportó algo de «jugo» a la entrada. También arregló la mosquitera y pintó la puerta en un tono violeta vivo. En el interior, definió una zona de recibidor con una mesa, una lámpara, flores y una cita inspiradora que ella había escrito y publicado. En el plazo de una semana, empezaron a surgirle interesantes oportunidades profesionales, incluso la de tener su propio programa de televisión. Al reformar su entrada, había dado un nuevo impulso a su carrera.

Lo que ves es lo que consigues

Sea cual sea la primera habitación que ves al entrar en una casa, suele ser la que te causa una impresión general de la misma. Ver el salón es muy positivo porque sugiere relaciones sociales y relajación. Cuando la primera habitación que se ve es la cocina, el comedor, un dormitorio, el cuarto de baño o el cuarto de plancha, puede parecer que la casa esté centrada en otras actividades, como dormir, comer y hacer las tareas del hogar.

Si vives en una casa así, reorganiza la distribución de los muebles o coloca separaciones de ambientes, de modo que no sean esas las primeras estancias que se vean al entrar. Por ejemplo, el comedor de una pareja era lo primero que se veía desde la entrada. Su principal queja era que los dos habían aumentado de peso desde que se habían trasladado a esa casa hacía un año. Siempre estaban picando cuando estaban en casa y no podían ceñirse a ninguna dieta razonable. Cuando se dieron cuenta de que comer era el centro de la casa, invirtieron la distribución y colocaron el comedor donde tenían el estudio. Ahora, cuando llegan a casa, entran por el estudio, que promueve la relajación y la conversación en lugar del consumo de alimentos, y disfrutan de un comedor que no está cerca de la entrada.

Cuando lo primero que vemos es un dormitorio o un aseo, lo mejor que podemos hacer es mantener la puerta cerrada. Ni los aseos ni los dormitorios producen una primera impresión ideal. Coloca en la puerta un muelle que haga que se cierre fácilmente y con suavidad cuando la abras. Realza la puerta con un espejo o una tela que te guste.

Otro de los retos del Feng Shui es que se vean varias habitaciones desde el recibidor. Esto puede desorientar de igual modo tanto a los invitados como a los ocupantes. En estos casos, es importante destacar una habitación, como el salón, marcando un camino claro hacia él utilizando artísticamente pantallas, esculturas, cuadros, plantas y muebles. Por ejemplo, un biombo decorativo situado para tapar parcialmente la entrada al comedor puede conducir a las personas directamente al salón. Una escultura con luz o dotada de movimiento en el salón atraerá la atención de la gente hacia ese lugar.

Mejora todas las entradas

La puerta de entrada a la casa se considera la boca principal del chi, aunque se utilice más a menudo otra. Si la entrada que usas con más frecuencia da al cuarto de plancha, a una sala o a la caja de la escalera, procura que la estancia resulte acogedora, esté bien iluminada y sea muy accesible. Asegúrate de que eres recibido por la belleza y la luz, no por la oscuridad y el desorden, para que la primera impresión de tu casa y la última sean buenas. Un cartel que te guste en el cuarto de plancha o un tapiz elegante en la caja de la escalera pueden cambiar mucho la sensación de ser bien acogido cuando llegas a casa. Algunas personas convierten esas zonas en galerías de arte divertido, colocan fotos, collages y recuerdos personales que no encajan en otros sitios de la casa. Otras ponen objetos elegantes cerca de la entrada que usan habitualmente, como una pintura al óleo o un espejo con marco dorado. Elijas lo que elijas, los objetos están bien colocados si sientes que te dan la bienvenida al entrar en casa.

DIRECTRICES RÁPIDAS PARA LA ENTRADA PRINCIPAL

* Crea un recibidor fascinante, dentro y fuera.
* Procura que esa zona esté bien iluminada, arreglada y sin trastos.
* En el exterior, incluye sendas sinuosas, fuentes, asientos y otras «marcas estéticas».
* En el interior, coloca uno o más objetos que den la bienvenida en el recibidor o en el área que esté justo detrás de la puerta principal.
* Adorna el recibidor según el mapa bagua.
* Realza otras entradas que utilices a menudo.

6

El salón:
Comparte quién eres con el mundo

Un interior es la proyección natural del espíritu.

Coco Chanel

Figura 6A
El yin y el yang encuentran su equilibrio en este salón, amueblado con asientos cómodos y bien situados y mesas redondeadas del artista Brett Hesser.

El salón, como el de la figura 6A, está bien situado como la primera estancia a la que se accede desde el recibidor. Puesto que es una habitación social y activa, en el Feng Shui el salón se asocia al elemento fuego. Es el sitio perfecto para «expresarte» y desplegar el arte, los colores y las colecciones que te gustan. Los salones dicen mucho sobre tu personalidad y tu visión del mundo, de modo que haz que el tuyo sea un buen informe. Aquí lo que importa es expresar tu individualidad con cualquier estilo de diseño que te guste, y ordenar a la vez los muebles y tesoros para asegurar el flujo armonioso de chi.

Vive con comodidad y seguridad

Tal como hemos dicho en el capítulo 1, la comodidad y la seguridad son importantes cuando hemos de amueblar el salón. Compra sólo asientos que te acojan con brazos confortables y muebles que no tengan detalles molestos o peligrosos. Los muebles que enganchen o «muerdan» los dedos de los pies o la ropa y los asientos que no te ofrezcan un apoyo no tienen lugar en tu casa. Las mesas con puntas afiladas pueden ser peligrosas y energéticamente despiden a la gente y al chi, en lugar de atraerlos, especialmente si están mirando a las puertas o a los asientos. Si tienes alguna mesita de centro y sillas en el salón con ángulos o esquinas, adornos peligrosos o patas que sobresalen, suavízalas, colócalas en otro sitio o cámbialas. Utiliza telas, caminos de mesa, plantas u otros artículos para suavizarlas, o coloca la mesita de centro en diagonal para que las esquinas queden fuera del alcance de la gente.

Cuando vayas a comprar muebles nuevos, considera la comodidad y la seguridad tan importantes como la estética. Busca diseños con adornos inofensivos y esquinas redondeadas, aunque la forma general sea rectangular. Puesto que todos los cuerpos son diferentes, prueba los sofás y las sillas antes de comprarlos. Un artículo puede tener buen aspecto en un folleto o revista, pero tu cuerpo te dirá si es el adecuado para ti.

Ten en cuenta la vista

Para fomentar la intimidad social y la relajación, coloca la pieza principal de los muebles del salón —con frecuencia, el sofá— de modo que domine la visión de la puerta, tal como vemos en la figura 6B. Cuando no sea posible, cuelga un espejo para ver el reflejo de la misma desde el sofá. Una vez hayas colocado los muebles principales, si es posible, da a otro asiento una vista de la puerta total, parcial o a través de un espejo. La importancia que se concede a la vista desde cada asiento favorece mucho que todos estén cómodos y que la habitación resulte atractiva y confortable. Para aumentar la sensación de bienestar y de buena circulación del chi, organiza los muebles de tu salón formando islas a través de las cuales puedas pasar fácilmente.

Revisa la vista que tienes desde todos los asientos del salón y corrige las que resulten desagradables. Para conseguir vistas ideales y la circulación de energía por toda la habitación, procura que los rincones estén

Figura 6B
En este salón, todo el mundo, hasta la mascota de la familia, puede ver la puerta. Observa las formas redondeadas del sofá, las sillas y la mesita. El cuadro de la artista Karen Haughey realza la zona de la salud y la familia, mientras que el piano, la lámpara y las fotos de los seres queridos afirman la zona de la riqueza y la prosperidad.

Figura 6C
El espejo que hay encima de la chimenea aporta un dinámico equilibrio entre el fuego y el agua, a la vez que atrae más luz a la habitación.

ordenados. Defínelos con cualquier combinación de adornos, como plantas, esculturas, luces y muebles, o suavízalos con telas.

La chimenea, símbolo arquetípico del bienestar y la seguridad, está bien situada en un salón. Sin embargo, a veces, su tamaño y su localización hacen que domine la habitación. Cuando suceda esto, puedes recurrir a los cinco elementos (capítulo 3) e introducir el elemento agua para equilibrar el fuego. Una forma muy popular de hacerlo es colgar un espejo, que representa el agua sobre el fuego, tal como vemos en la figura 6C y en la figura 4I de la página 105. El agua también se puede introducir con cuadros de marinas, lagos, arroyos y ríos, con arte no convencional o con diseños asimétricos. Los objetos de color negro o hechos con materiales muy oscuros, así como los artículos de cristal y vidrio, también representan el elemento agua. Una pantalla de cristal delante de la chimenea, jarrones de cristal en la repisa o alguna fuente artificial cerca de la chimenea, siempre son una forma de introducir dicho elemento para equilibrar el fuego.

Demasiado de algo bueno

Muchos salones están repletos de objetos decorativos. Cuando me pidieron que averiguara la razón por la que una pareja no conseguía comprador para su casa, encontré más de un centenar de sorprendentes objetos de cristal en el salón. Estaban colocados en estantes de cristal, dando al salón un aspecto que parecía más el de una tienda de cristalería fina que el de un lugar para vivir. La visión de tantos objetos brillantes me empujaba hacia la puerta, en lugar de invitarme a entrar, fenómeno que, según el agente inmobiliario, también experimentaban los posibles compradores. A la mayoría de la gente, el despliegue de piezas de cristal en exposición sencillamente le resultaba excesivo. Puesto que la pareja quería conservar toda su colección, nuestra solución fue elegir un tercio de la misma, distribuirla por toda la casa y guardar el resto. Tras haber convertido el exceso en lo justo, su casa se vendió inmediatamente.

Muchas personas creen que para practicar el Feng Shui tienen que adoptar esa actitud zen o tener una visión minimalista, pero eso no es cierto. ¡El Feng Shui y la abundancia material no son opuestos! El Feng Shui siempre busca el equilibrio perfecto entre los extremos y cada uno de nosotros tiene una opinión diferente sobre lo que constituye el exceso y el defecto. Si tienes tantas cosas que al desplegarlas todas se produce un exceso, ve alternando tus colecciones, exhibe una parte y guarda el resto. Esto ofrece a cada uno de tus tesoros la oportunidad de brillar sin tener que compartir el escenario con cientos de cosas bonitas.

Los cojines también pueden recargar un salón. En muchas casas hay tantos cojines en los sofás y sillas que parece que todos los asientos estén ocupados. Los cojines están para realzar los muebles y para servir de apoyo a la gente que se sienta en ellos. Si hay más de la cuenta, es demasiado de una cosa buena. Cuando decoremos con cojines, elijamos telas resistentes, es decir, que no sean tan delicadas que se deterioren con el uso.

Considera los cojines y otras curiosidades bonitas como joyas para tu salón. Puede que tengas una extensa colección, pero el salón no tiene por qué estar siempre soportándolas todas. Decóralo con una selección de cosas bonitas, como le darías el toque de gracia a un conjunto de ropa con joyas y otros complementos. Luego, cámbialas cuando gustes y guarda el resto en «joyeros» o en lugares donde puedas encontrarlas fácilmente cuando las necesites. Esto asegurará el flujo del chi en tu salón y el placer de redescubrir y disfrutar de las cosas que te gustan.

EJERCICIO DE CONTEMPLACIÓN

Imagina que vives sin tus colecciones. ¿Puedes seguir conectado con tu sentido de felicidad, abundancia e inspiración? Las pertenencias son temporales por naturaleza, mientras que tus cualidades internas aumentan con el tiempo. Tu colección más preciada y la que ha de aumentar de valor a medida que pase el tiempo, es la de tus recursos internos y rasgos de carácter positivos. Decide qué atributos otorgarías a la colección con la que vivirías durante el resto de tu vida.

Armarios parlantes

Mientras escribía *Home Design with Feng Shui A-Z* tuve una experiencia muy interesante. En casa tenemos una serie de armarios empotrados en una de las paredes del salón, donde guardamos gran parte de nuestras «joyas». Un armario está reservado para objetos de decoración, como jarrones, cajas de adorno y candelabros. Un día abrí ese armario tras haber escrito sobre cómo nos hablan nuestras pertenencias cuando estamos con ellas. Lo que vi al abrirlo no fue una serie de cosas bonitas, sino una masa de gente. Cada objeto evocaba el recuerdo de alguna persona a la que probablemente no habría recordado por ninguna otra razón, algunas de ellas estupendas, otras no tanto. Por un momento, esas personas estaban en mi armario hablándome.

Una voz salió de una caja de madera pintada a mano que había comprado para una amiga hacía años y que nunca llegué a regalarle. Como me gustaba para mí, le compré otra cosa y me la quedé. Pero la caja todavía parecía tener su nombre grabado en ella. Allí estaba recordándome que era para ella. Cada vez que la miraba, sentía la misma culpa. Al lado de la caja había un portalápices de madera tallado por mi abuelo, hecho con un tronco de la chimenea. Allí reposaba orgullosamente sobre mi estante, diciéndome que él podía hacer algo bonito casi con cualquier cosa. Cada «persona» tenía algo que decir, y por primera vez me detuve a escuchar. El resultado fue que le regalé la caja a mi amiga (a quien le encantó mi historia del armario «parlante») y puse el portalápices del abuelo en la mesa del despacho. También me deshice de una serie de objetos parlantes que, aunque bonitos, no se encontraban entre el conjunto de recuerdos que deseaba conservar. Ahora, cuando abro el armario, las voces que escucho son dulces y me traen recuerdos y sentimientos maravillosos.

EJERCICIO DE CONTEMPLACIÓN

Echa un vistazo a las «joyas de tu casa» y deshazte de las que te traigan recuerdos, asociaciones o sentimientos desagradables. Escucha lo que cada una tiene que contarte y decide si realmente deseas tenerla en tu espacio. Entra de lleno en el presente, en tu zona de poder, y despréndete de cualquier cosa que no tenga nada bonito que decir. Al hacerlo se activará tu energía y la de tu entorno.

Los colores de nuestra vida

El color es una herramienta personal y poderosa para realzar nuestro hogar. Al antiguo propietario de una casa puede que le gustara el papel pintado de color rosa o las paredes de color verde aguacate, mientras que al actual esos colores o dibujos le dan claustrofobia o náuseas. Da prioridad a eliminar los colores que te ofenden y rodéate de los que te alimentan y nutren.

Tu esquema de color puede ser totalmente neutral o de una variedad de tonos fuertes o claros. Sencillamente, recuerda que no puedes cambiar el color del salón con la misma facilidad que renuevas tu guardarropa. Tendrás que vivir con ese color durante un tiempo. Con esto no quiero decir que seas indeciso al escoger el color, sino astuto.

Haz pruebas antes de pintar, de cambiar la tapicería o los muebles. Antes de comprar una silla de color púrpura, por ejemplo, envuelve una con un papel o una tela de ese color y déjala durante un tiempo. El mobiliario, las paredes o los suelos de colores muy vivos pueden estar bien en casa de otro o en las revistas de decoración, pero prueba el color antes de ponerlo. Observa el efecto de la luz sobre el color que tendrás que ver mañana, tarde y noche. Algunos colores cambian por completo según se vean con luz natural o con luz artificial. Asegúrate de que te gustan todos los matices y tonos que introduces en tu hogar. Si al final de la semana ya no estás tan enamorado de un color, prueba otro y da las gracias por haberlo descubierto antes de realizar una gran inversión.

Cuando los colores se elijen bien, tienen la poderosa acción de sanar tu hogar. Puesto que siempre estamos cambiando, los colores que hemos elegido tendremos que cambiarlos de cuando en cuando para que reflejen nuestro nuevo yo. Los tonos neutros o sutiles en las paredes, las moquetas y los sofás son los más recomendables, puesto que te dan la libertad de combinarlos con complementos de otros colores que se pueden cambiar tantas veces como desees.

Existen otras formas de usar el color para realzar el entorno. Con el ciclo de control de los cinco elementos (capítulo 3), los colores se pueden usar como una «solución rápida» cuando una habitación resulta demasiado monocromática para tu gusto. Elige rojos y púrpuras para dar calidez a un entorno que sea principalmente blanco. Introduce amarillos y ocres para equilibrar las habitaciones que tienen mucho negro o tonos oscuros. Añade blanco y tonos pastel claros para un entorno azul o verde. Añade tonos oscuros o negros para equilibrar el exceso de colores ardientes, como el rojo y el púrpura.

Otra forma eficaz de usar el color para realzar tu hogar es agrupar objetos que incluyan todos los colores de los cinco elementos. Las telas de muchos colores, los cuadros, los coleccionables y las velas (figura 18A, página 254) ofrecen infinitas posibilidades.

Puedes usar el color cuando quieras mejorar el chi en las diferentes zonas del mapa bagua (capítulo 2), pero usa sólo los colores asociados a las mismas si te agradan. No te sientas obligado a usar el negro en tu *gua* de la carrera profesional o el rojo en la de la fama y la reputación, a menos que te gusten esos colores. Los colores sólo despiertan el chi si te elevan e inspiran cada vez que los ves.

Controla a las bestias electrónicas

Coloca los televisores y demás equipos electrónicos en armarios con puertas, de modo que se puedan esconder cuando no se usen. Este sencillo cambio puede mejorar extraordinariamente tu calidad de vida promoviendo una serie de actividades sociales y familiares, así como momentos de paz y tranquilidad.

El enorme televisor de una pareja reposaba sobre un estante abierto en el salón. Cuando les sugerí que lo guardaran en un armario, no pusieron muy buena cara. ¡La mayoría de los televisores de sus amigos estaban al descubierto, y cuanto más grandes eran, mejor! ¿Por qué habían de esconder el suyo? Les sugerí que, durante un par de semanas, taparan el televisor con una tela bonita cuando no lo usaran. Tras ese período de tiempo, podrían observar si habían experimentado algún cambio en su calidad de vida.

Al cabo de dos semanas, salieron a comprar un mueble con puertas para el televisor. Se dieron cuenta de que, cuando no estaba a la vista, no miraban tanto la televisión. Para ellos, lo mejor fue que la tentación de comer delante de la pantalla había disminuido notablemente. Ahora, en lugar de que los telenoticias se unieran a ellos en la cena, eran ellos dos los que se reunían para compartir los acontecimientos del día. Al hacerlo, se relajaban más y no padecían tanta indigestión. Meses después, su descubrimiento se propagó a muchos de sus amigos, que también empezaron a encerrar los televisores dentro de muebles con puertas.

Techos: El cielo y la tierra en su lugar

La altura de los techos puede variar mucho según la antigüedad y el estilo de la casa. El Feng Shui tiene en cuenta el hecho de que la mayoría de las personas prefieren vivir bajo un techo que no sea ni demasiado alto ni demasiado bajo, generalmente entre unos 2,5 y 3 metros. Cuando la habitación es demasiado alta o demasiado baja, no invita a la relajación. Si tu salón o cualquier otra habitación tiene un techo especialmente bajo o alto, siempre hay formas de hacer que resulte más confortable.

Techos bajos: Una de las mejores formas de equilibrar un espacio que tenga el techo bajo es con luces indirectas enfocadas hacia el techo. También puedes pintar el techo de blanco o de un tono pastel brillante, que hará que la altura parezca mayor, sobre todo cuando las luces estén encendidas.

Utiliza colores claros y brillantes en toda la habitación, espejos cuando sean apropiados, y evita al máximo los colores oscuros. Los muebles bajos mantienen la estancia a escala y el techo parece más alto. Puesto que los techos bajos se consideran yin, las habitaciones con techos así son las mejores para los propósitos yin, son ideales como dormitorios o salas de meditar y de yoga.

Techos altos: Muchas casas occidentales tienen el techo alto en el salón, el comedor y los dormitorios. Aunque arquitectónicamente sea extraordinario, un techo alto puede resultar demasiado «celestial», o yang, y hacer que la habitación parezca más una gran galería o un teatro que un lugar confortable y acogedor para vivir. Los techos altos tienden a «estirar a la gente hacia arriba y hacia fuera de sí misma», lo cual puede ser estupendo en los edificios públicos. Sin embargo, en casa, a la mayoría de las personas les gusta estar «abajo y centradas en ellas mismas», tumbarse, relajarse y restaurar su energía.

Para equilibrar la abundancia de yang de un techo alto, puedes «trazar una línea entre el cielo y la tierra», término Feng Shui para dibujar una línea horizontal sólida alrededor de una habitación. Esta línea define dónde termina la «tierra» horizontal del espacio habitable y dónde empieza el «cielo» vertical del alto techo. Cuando una línea define claramente la acogedora tierra abajo y las esferas celestes arriba, la habitación resulta mucho más atractiva y confortable.

La línea entre el cielo y la tierra se puede trazar utilizando molduras, revestimientos con paneles de madera, cenefas pintadas con molde (figura 11M, página 201), papel pintado o estantes a unos dos o tres metros del suelo. Una forma de elegir la altura exacta es utilizar la parte superior de un mueble grande o el dintel de una puerta o ventana como guía. Los materiales empleados pueden ser del mismo color que la pared para sugerir sutilmente la división, o se pueden decorar las paredes de forma diferente en la parte superior e inferior de la línea con colores, papel pintado o

Figura 6D

El techo de este salón tiene más de 4,5 metros de alto. Para «trazar la línea entre el cielo y la tierra», es decir, para crear una sólida línea horizontal alrededor de la habitación, se colgaron las obras pictóricas del propietario a la misma altura. Los estantes acaban de definir la zona «tierra» de la estancia.

texturas distintas. Cuando instales un estante con este fin, decóralo sólo con objetos ligeros, como cestas, tejidos o flores de seda.

También se puede sugerir una línea visualmente colgando cuadros a la misma altura alrededor de la habitación, como vemos en la figura 6D. Entonces, el ojo «rellenará los espacios en blanco». Al igual que con el revestimiento con paneles, puedes colgar los cuadros a la misma altura para hacer de tope de muebles, ventanas y puertas, de modo que la combinación produzca un claro efecto divisorio alrededor de la estancia. Cuelga los cuadros grandes de modo que los bordes superiores de los marcos queden todos a la misma altura, o bien agrupa cuadros más pequeños para conseguir el mismo efecto. En una ocasión, un salón muy poco utilizado se convirtió en el lugar favorito de la casa cuando los residentes colgaron todos sus cuadros a la misma altura alrededor de la habitación. Este sencillo ajuste hizo aterrizar al salón y le confirió la suficiente definición como para que fuera un lugar agradable donde estar.

En algunos casos, la línea se puede trazar construyendo un altillo y creando dos espacios acogedores que se adapten más a tus necesidades que una sola habitación verticalmente espaciosa. Los doseles también pueden formar esa línea horizontal y crear rincones íntimos. Sé creativo y retoca la habitación hasta que te sientas cómodo en ella.

Puedes decorar el espacio celestial que queda por encima de la línea con «arte del cielo» o artículos que definan el cielo que tienes arriba e introduzcan una cualidad inspiradora en la estancia. Una lámpara de araña colgada encima de una mesa es un ejemplo clásico. Al elegir los objetos para este fin, asegúrate de que no quedarán encima de una zona de asientos, y si es así, que sean ligeros, como estandartes, móviles o telas. La fuerza visual de la línea entre el cielo y la tierra, así como la posible incorporación de arte celestial en las alturas, confiere a los espacios con techos altos el interés y la calidez necesarios para que resulten cómodos en la vida cotidiana.

Figura 6E
La viga de este salón ha sido compensada con una herramienta clásica del Feng Shui, las flautas de bambú. Muchos otros objetos complementan la estancia: velas, plantas, flores, cuadros, un acuario y, por supuesto, Garfield, el gato.

Los techos abovedados sólo por un lado también necesitan una clara línea divisoria horizontal para equilibrar la diferencia de alturas. Sigue las instrucciones anteriores para dibujar la línea entre el cielo y la tierra a fin de equilibrar la habitación.

Vigas: Aligera su peso

Las vigas son una estructura característica de la arquitectura occidental y con frecuencia se considera que dan carácter a una habitación. También pueden producir una molesta sensación de pesadez, sobre todo cuando te sientas o duermes directamente debajo de ellas. Cuanto más grandes, oscuras y bajas, más ominosas son; mientras que cuanto más pequeñas, ligeras y altas, menos problemáticas. Por lo tanto, lo que buscaremos será aligerar y elevar las vigas grandes, oscuras o bajas y reducir el desagradable peso del mundo sobre nuestra cabeza.

Armoniza las vigas con el techo pintándolas o tiñéndolas para que hagan juego. El color blanco y los tonos pastel claros las harán parecer más ligeras. Las vigas también se suavizan añadiendo ángulos curvados que sugieran un arco en cada uno de sus extremos, o se pueden «elevar» utilizando artísticamente la iluminación. Instala guías con pequeños focos de luz blanca a lo largo de las vigas o emplea iluminación en el techo que las eleve desde abajo.

En el Feng Shui tradicional, se colgaban dos flautas de bambú en la viga formando ángulos de 45 grados para romper simbólicamente la influencia dominante de la viga en la habitación (figura 6E). Estas flautas se colgaban con las boquillas hacia abajo para representar que la música fluía hacia arriba elevando la viga. En Occidente podemos sustituir las flautas de bambú por cualquier clase de objeto de madera o sugerir sutilmente estas líneas angulares pintándolas sobre la viga.

Otros objetos que «aligeran» vigas, ya sean reales o representados artísticamente, son las plumas, las guirnaldas de flores, las enredaderas, los pájaros y los ángeles. También puedes colgar de las vigas banderas de oraciones ligeras, estandartes de seda o móviles. Elige siempre cosas que sean ligeras para no agravar la sensación de peso sobre la cabeza. (Las vigas también se pueden suavizar añadiendo en los extremos ángulos curvados que sugieran un arco.)

Saca el máximo partido del salón

Cuando reformes el salón, ten presente el mapa bagua (capítulo 2) y los cinco elementos (capítulo 3). Existen miles de formas de revitalizar el salón utilizando estos dos sistemas. Por ejemplo, la decoración artística en la zona de los hijos y la creatividad de un salón se puede escoger por su colorido y por su aire informal, mientras que la que elijas para la zona de la salud y la familia puede representar a gente radiante de salud o jardines y bosques.

En el salón han de estar presentes los cinco elementos; la manera de hacerlo depende de ti. Puedes elegirlos según el color o introducir los elementos tal cual a través de plantas, velas, cerámicas, obras de arte de metal y fuentes artificiales. También puedes equilibrar sutilmente los elementos con tablas de madera (madera), estatuillas de animales (fuego), suelos de cerámica (tierra), cojines redondos (metal) y un espejo (agua). No hay fin para las combinaciones únicas que puedes crear. Guíate por lo que te gusta y disfruta de los resultados.

EJERCICIO DE CONTEMPLACIÓN

Dedica unos minutos a sentarte tranquilamente en el salón. Mira a tu alrededor y observa si el salón refleja exactamente tu personalidad. Si vives con otras personas, observa si refleja una armoniosa mezcla de los gustos e intereses de todos. Observa si te gusta lo que ves y cómo te sientes en la habitación. Si hay cosas que te desconciertan, decide lo que has de hacer para corregirlas. Puede que tengas que hablar con tu pareja para cambiar un cuadro de sitio, llegar a un acuerdo con un compañero de habitación, volver a tapizar un sofá, poner a la vista un recuerdo querido, cambiar la disposición de los muebles o limpiar un rincón desordenado. Sea lo que fuere, haz que tu salón sea una expresión lo más fiel posible de ti mismo, un lugar donde realmente te guste estar.

DIRECTRICES RÁPIDAS PARA EL SALÓN

- Exprésate y muestra al mundo quién eres.
- Ordena tus muebles para que mejore la circulación del chi.
- Coloca el mueble principal, como puede ser el sofá, de forma que domine la visión de la puerta.
- Elimina o suaviza las esquinas y ángulos en punta.
- Establece un equilibrio justo con el número de objetos decorativos que expongas.
- Haz pruebas antes de cambiar los colores.
- Elige muebles cómodos, seguros y bonitos.
- Abre y realza los rincones de la habitación.
- Pon la televisión y demás equipos electrónicos detrás de puertas cerradas.
- Compensa los techos altos y las vigas pesadas.
- Ten en cuenta el mapa bagua y los cinco elementos.

7

El comedor:
Nutre el cuerpo, el corazón y el espíritu

Comer siempre ha sido un arte.

FRANK LLOYD BRIGHT

Figura 7A
Esta mesa de comedor redonda tiene la medida perfecta para que dos personas disfruten de una comida íntima. Es de piedra y metal, pero las velas y los mantelitos la hacen más cálida,, mientras que las confortables sillas completan el juego. El cuadro de Lynn Hays da color y vida, y las flores suavizan y resaltan el rincón.

Reivindica el ritual de la comida

El comedor, ¡qué maravilloso lugar para deleitarse durante el desayuno y leer el periódico, para sentarse durante la comida y soñar despierto durante un rato, para relajarse, recargar pilas y disfrutar de una conversación durante la cena! ¿Te recuerda esto un día típico en tu comedor? La mayoría de mis clientes dicen que rara vez tienen estas experiencias. En muchas casas, la mesa y las sillas del comedor permanecen vacías la mayor parte del tiempo. Algunas casas no tienen un comedor propiamente dicho, sino un lugar para comer, como un *office* o una zona dentro de otro espacio más grande que utilizan para comer. Tanto si es un lugar para comer como un comedor, es bastante probable que no se use a menudo.

En el Feng Shui, el comedor se asocia al elemento tierra. Es el lugar donde se comparten los regalos de la tierra y donde alimentamos nuestro cuerpo con el nutritivo chi. En la cultura norteamericana es habitual comer corriendo, engullir la comida colgados del mostrador de la cocina, comer de pie, conduciendo o mirando la televisión. Comidas rápidas de todo tipo satisfacen nuestro estilo de vida de comer corriendo, mientras innumerables distracciones hacen que nos apresuremos y que comamos aún más deprisa. El problema es que, a medida que el exquisito arte de comer va quedando relegado a ocasiones especiales, nosotros nos vamos muriendo de hambre energéticamente. Al dedicar un tiempo a comer despacio y concienciados de lo que hacemos, estamos recibiendo toda la vitalidad de los alimentos y nos estamos nutriendo en todos los planos.

Una atmósfera nutritiva

Al igual que la pareja de la figura 7A, procura crear una atmósfera que incite a comer, un lugar que tenga su propio ambiente íntimo y tranquilo. Puesto que la nutrición es esencial para la salud y el bienestar, el Feng Shui nos exhorta a diseñar un entorno agradable y sereno para las comidas. Desconecta el teléfono, pon música suave, pon la mesa, enciende velas y come tranquilamente. Coloca el mobiliario, las plantas, las alfombras y otros objetos para que activen el chi y definan y designen un comedor que favorezca la reflexión, la digestión y la conversación. Cuanto más frenéticos sean tus días, más importante será el ritual de comer para tu salud y tu felicidad. Un lugar así te tranquiliza lo suficiente para ser consciente del chi que hay en los alimentos. Además, te ayuda a sintonizar con la vitalidad esencial que absorbes en cada comida. También recibes el valioso regalo de conectar contigo mismo y con otras personas que compartan la comida contigo. Haz de tu comedor un oasis donde puedas nutrir el cuerpo y el espíritu.

Una silla exquisita

Puesto que la comodidad es tan importante, la ergonomía —el estudio de las necesidades fisioestructurales del cuerpo humano— desempeña un papel muy importante en el Feng Shui. Las sillas del comedor, cuando son ergonómicamente correctas, sostienen el cuerpo cómodamente e invitan a la relajación. Desgraciadamente, hay muchos tipos de sillas en el mercado que son ergonómicamente incorrectas y que afectan de forma negativa la alineación estructural del cuerpo y su vitalidad, así como la posibilidad de disfrutar de la comida. Este tipo de sillas son consideradas los «tacones altos» de los muebles. Por bonitas que sean, son incómodas y con poca base para «llevarlas» durante mucho tiempo. Al igual que los tacones altos, pueden agotar fácilmente nuestro chi en lugar de aumentarlo.

Por muy curiosas, caras o de diseño que sean las sillas, lo principal es que pasen la prueba de seguridad y comodidad. Para que cumplan su función, han de ser estables y soportar tu peso sin que te dobles o te caigas. Las sillas con patas que sobresalen o con respaldos decorativos que pinchan o cortan se han de dejar en la sala de exposición. Busca sillas con asientos que tengan una forma apropiada y estén acolchados o tapizados y con respaldos que acojan los contornos de tu cuerpo. Esto significa que a la mayoría de las sillas de madera, plástico y metal se les han de poner cojines para que sean cómodas. Asegúrate de que todas las sillas del comedor sean igualmente cómodas, lo cual mostrará tu deseo de que todo el mundo se sienta a gusto y bien recibido (figura 7B). Evita sillas para «el rey y la reina» que comuniquen una desigualdad en relación con los demás comensales, para quienes se reservan sillas más incómodas, como en

Figura 7B

Este comedor demuestra un Feng Shui excelente. Todas las sillas son muy cómodas y transmiten una igualdad que honra a todos los comensales. Los cantos redondeados y el diseño general de la mesa no suponen ningún peligro. Se ha escogido una valiosa cubertería de plata, plantas y otros objetos para crear un lugar agradable y tranquilo donde comer. Aunque estos muebles son de diseño oriental, cualquier estilo es bueno para seguir las directrices del Feng Shui.

Figura 7C

Este comedor ofrece algunos de los retos del Feng Shui. Las sillas para «el rey y la reina» crean una desigualdad entre los comensales. Los cantos en punta con patas de metal que sobresalen y los refuerzos en las mismas son características peligrosas. El espejo tiende a dar prisa a los comensales, en lugar de invitarlos a relajarse y a disfrutar de la comida.

la figura 7C. Al igual que los zapatos, las sillas del comedor adecuadas y estéticas son las que mejor cumplen la función de mantener una corriente de energía nutritiva en el comedor.

Siéntate siempre en una silla antes de comprarla. Cuando vayas a comprar sillas, llévate un libro y, cuando veas una que te guste, siéntate durante un rato para asegurarte de que a tu cuerpo le gusta. Por muy perfecta que parezca en un catálogo o folleto, no puede pasar la prueba de seguridad y comodidad hasta que te sientas en ella. Una vez hayas decidido que te resulta cómoda, decide si te gusta su forma. Si lo haces, la silla se convertirá en algo que habrás de conservar y otro perspicaz comprador Feng Shui quedará satisfecho.

Una vista deliciosa

Dedica unos minutos al día a sentarte en todas las sillas de tu comedor y observa la vista. Muchas personas tienen una silla favorita y nunca han visto qué perspectiva se ve desde las otras sillas que están alrededor de la mesa. Cerciórate de que no tienes tu propia versión de la impopular silla de restaurante desde la que se ve directamente la frenética cocina iluminada con fluorescentes. Una vez, una mujer descubrió que dos de sus sillas estaban orientadas directamente hacia las desnudas bombillas de una lámpara cercana, una vista deslumbrante que ella no tenía desde la suya. Instala reguladores de la intensidad de la luz en todas las lámparas para crear la atmósfera perfecta cuando sea necesario. Elimina también las cosas que molestan la vista, como un montón de cartas. Tu meta es crear un lugar de serenidad donde la buena digestión y las conversaciones interesantes estén aseguradas.

Una mesa selecta

Observa si tu mesa de comedor y las patas de las sillas encajan bien juntas. ¿Estás sentado demasiado alto o demasiado bajo para estar cómodo en la mesa? Según tu estatura y las proporciones de tu cuerpo, es posible que no encajen bien aunque compres sillas y mesa a juego. ¿Puedes mover la silla sin chocar con el refuerzo o la pata de la mesa? En las mesas de las figuras 7E y 7F seguro que no podrías. La mayoría nos hemos hecho daño con los muebles del comedor al intentar simplemente sentarnos.

Figura 7D
Los cantos redondeados de esta mesa, sus patas que no molestan al sentarse y las confortables sillas favorecen una comida agradable y relajada.

Figura 7E
Siéntate un momento en la silla de la derecha. Seguro que el refuerzo de la mesa te molestará durante la comida. La mesa también tiene cantos en punta sin protección y patas que se curvan en busca de inocentes dedos y pies. La silla de la izquierda es más grande, más acolchada y ocupa más espacio con las patas que la otra, lo cual denota un rango entre los comensales.

Recuerdo haberme hecho un buen moretón en la rodilla con una ornamentada columna que era el soporte de la mesa de comedor de un amigo, experiencia muy desagradable para ambos.

Por consiguiente, elige sabiamente la forma de tu mesa. El Feng Shui prefiere las mesas redondas y ovaladas que se pueden agrandar según las necesidades. Esto favorece la flexibilidad, la igualdad y el buen flujo del chi. Si prefieres una mesa rectangular, elige una que tenga los cantos y los bordes redondos. Las esquinas de vidrio, como las de la figura 7F, se consideran «flechas venenosas» por su peligrosa punta.

Figura 7F
Dos peligros inminentes —los puntiagudos cantos de vidrio y el gran pilar de madera— amenazan la seguridad y la comodidad de los comensales.

EJERCICIO DE CONTEMPLACIÓN

Busca una esquina en punta en algún mueble y siéntate directamente delante de ella. Siente la energía que desprende. Luego, envuélvela con un trozo de tela o una enredadera. Vuelve a sentarte delante de esa esquina y observa si notas alguna diferencia. Recuerda que en el Feng Shui tu sensación de seguridad y comodidad es lo principal.

El tamaño de tu mesa de comedor de todos los días también es importante. Una pareja necesita la acogedora intimidad de una mesa pequeña para su uso diario, mientras que una familia necesita una mesa más grande. Cuando sea necesario, puedes hacer que una mesa grande parezca más íntima utilizando una parte para comer y la otra para poner flores bonitas, frutas, estatuas o cualquier otro objeto interesante. En una granja italiana vi esto realizado con un gusto exquisito. Aunque la mesa del comedor tenía una capacidad para 18 personas, éramos dos de sólo seis servicios preparados para la gran mesa. Un extremo de la mesa estaba preparado para que comieran seis personas y el resto decorado con pequeñas estatuas de bronce, guirnaldas de hiedra, velas y pétalos de rosa frescos. El efecto era sorprendente y creaba un entorno íntimo a pesar del tamaño de la mesa.

Ventiladores de techo: Una atmósfera relajante

Los ventiladores de techo son necesarios en algunos climas, pero cuando están colgados directamente sobre la mesa del comedor, sus aspas pueden parecer peligrosamente pesadas y próximas. Cuando en un comedor el ventilador de techo está demasiado cerca de las personas como para que les resulte cómodo, puede hacer que estén irritables, con ganas de discutir y de acabar de comer cuanto antes.

Una familia que parecía que jamás podía tener una comida en paz, tenía un gran ventilador de color cereza acechando directamente sobre la mesa. El padre lo quitó y, al poco tiempo, me dijo que era como si su familia hubiera sufrido un cambio de personalidad para mejor. Sus hijos se calmaron y dejaron de discutir continuamente. Su esposa y él pudieron relajarse y hablar con sus hijos y entre ellos. Todos pasaban más tiempo en la mesa. Sustituyeron las grandes aspas rojas por una atractiva luz (con regulador de intensidad) e instalaron un ventilador menos agresivo cerca, pero donde pudiera hacer su trabajo sin alterar la paz.

Cuelga los ventiladores de techo lo más alto posible y procura no hacerlo directamente sobre los muebles. Es mejor un modelo sencillo con un color neutro sin luz incorporada.

El bello arte de comer

Las obras de arte pueden afectar positiva o negativamente a la cualidad nutritiva del comedor. Los cuadros con imágenes de frutas, verduras y flores suelen atraer a la mayoría de las personas, mientras que los bodegones con animales de caza muertos y colgando por las patas producen el efecto contrario. Los paisajes, las marinas y los cuadros en los que hay personas disfrutando de una comida campestre también son una buena elección. Evita el arte que asuste, que quite el apetito o en el que domine el color o el contenido. Si tu comedor es pequeño, utiliza pinturas que den sensación de profundidad, en lugar de espejos, para aumentar el tamaño visual de la habitación. Un espejo puede resultar hiperactivo para el comedor, sobre todo si es grande y refleja a los comensales. Como habrás observado, en muchos restaurantes utilizan colores brillantes, arte recargado y espejos para que la gente coma más deprisa.

Honra a tus sentidos en cada comida eligiendo los colores, las texturas, los aromas, los sonidos y los sabores que quieres tener como «invitados» habituales en tu mesa. Incluye velas, flores, manteles, música suave y otros detalles que enriquezcan tu experiencia de comer. Ten en cuenta los cinco elementos y el mapa bagua cuando decores el comedor. Introduce símbolos de bonanza —frutos de la tierra— en la mesa. Luego siéntate, relájate y brinda por tus bendiciones.

EJERCICIO DE CONTEMPLACIÓN

La mesa del comedor representa la nutrición del cuerpo, del corazón y del espíritu. Piensa en cómo nutres no sólo tu cuerpo, sino tus necesidades emocionales y aspiraciones espirituales. Si tienes hambre en cualquier plano, piensa cómo vas a crear una atmósfera nutritiva que alimente esa parte de ti. ¡La vida es un festín! Asegúrate de que saboreas cada bocado.

DIRECTRICES RÁPIDAS PARA EL COMEDOR

- Crea una atmósfera tranquila en el comedor.
- Asegúrate de que la mesa y las sillas sean seguras y cómodas.
- Procura que todas las sillas tengan una vista agradable.
- Elige arte que sea sereno y apetecible.
- Quita los ventiladores de techo situados justo encima de la mesa del comedor.
- Coloca decoraciones que agraden a todos los sentidos.
- Ten en cuenta los cinco elementos y el mapa bagua cuando decores el comedor.

8

La cocina:
La fuente de la nutrición

Cocinar es como el amor, empieza con pasión o no empieces.

PIET VAN HOME

Figura 8A
Los amigos se reúnen en una agradable y ordenada cocina. La isla ofrece un lugar para sentarse, a la vez que es donde se encuentra la encimera, y la cocinera tiene desde allí una buena visión de la puerta. Las frutas, en el frutero de tres pisos, representan el elemento madera y están bien situadas entre la encimera y el pequeño fregadero, equilibrando la relación entre el fuego y el agua.

Observa cómo tus amigos y familia se congregan en la cocina. La gente se siente inevitablemente atraída hacia la nutrición que hay en ese lugar. Puedes aprovechar esa atracción natural y crear una cocina que refleje tu creatividad, un lugar alegre y activo donde transformas la riqueza de la comida en artísticas y nutritivas comidas. Puesto que la cocina se relaciona con el elemento madera, puedes adornarla fácilmente con hortalizas y frutas, como boles de frutas frescas, bandejas con frutos secos y panes, ristras de ajos, tarros de hierbas, cestas con verduras frescas y jarrones con flores.

Es interesante observar que, al igual que las personas, las cosas también se congregan en la cocina, todo tipo de cosas, desde juguetes y zapatos hasta deberes y maletas. Añade a todo ello los múltiples instrumentos que utilizamos para cocinar y sin darte cuenta la cocina está abarrotada. Para mantener el flujo del chi y favorecer tu deseo de cocinar, deberías limpiar la cocina después de cada comida.

Superficies con cosas, no cosas sin superficies

Figura 8B
La superficie de trabajo de esta pequeña cocina está demasiado abarrotada para ofrecer al cocinero un espacio limpio y amplio donde preparar la comida. Esto puede apagar el entusiasmo y el interés por cocinar.

Figura 8C
Lo que se usa todos los días se queda en la superficie de trabajo (a excepción de los cuchillos, que se guardan en un cajón por motivos de seguridad). Ahora la familia tiene mucho sitio para disfrutar preparando la comida.

Revisa la superficie de trabajo de tu cocina. Además del correo y otros artículos migratorios, busca los pequeños utensilios que desordenan la zona. Reivindica tus superficies de trabajo en la cocina para los electrodomésticos, utensilios y comida que utilizas diariamente, ¡y retira todo lo demás!

El lema es: «Úsalo a diario o guárdalo». Cuando limpias de «intrusos» las superficies de trabajo, renuevas y das vitalidad a toda la cocina y dejas mucho espacio para divertirte haciendo comidas creativas.

Armarios y despensas: Detrás de las puertas cerradas

El desorden no conoce fronteras. Cuando limpias las superficies, inevitablemente tienes que colocar las cosas dentro de un armario o en cajones. Los armarios y la despensa de la cocina pueden fácilmente colapsarse con objetos como jarras vacías, fiambreras de plástico, electrodomésticos rotos, platos rajados y productos básicos caducados o innecesarios. Da, recicla o tira estas cosas, a fin de disponer de suficiente espacio para almacenar las cosas que necesitas tener en la cocina.

Es mejor guardar el cubo de la basura y los contenedores de reciclaje fuera de la vista. Su olor y su aspecto no son precisamente lo más agradable de contemplar, sobre todo cuando estamos haciendo la comida. La mayoría de las cocinas tienen armarios preparados para albergar el cubo o los cubos de la basura, de modo que estén a nuestro alcance pero fuera de la vista.

En nuestra cocina hay seis recipientes para los distintos tipos de basura. En el armario de la despensa hay cuatro contenedores para papel, metal, plástico y vidrio respectivamente. El material orgánico lo depositamos en una cazuela cubierta que está encima de la superficie de trabajo y que vaciamos una vez al día en el lugar donde amontonamos la materia orgánica. En el armario de debajo del fregadero puede haber otro cubo de basura pequeño para otro tipo de desechos. Puesto que nuestra cocina es pequeña, los cubos de basura roban espacio a otras cosas, pero cuando limpiamos la cocina de trastos tuvimos sitio de sobra para guardarlo todo.

Ten en cuenta la seguridad

Cuando tengas ocasión, diseña superficies de trabajo que hagan una curva u onda alrededor de la cocina. Y cuando la superficie sea rectangular, redondea las esquinas. Esto ayuda a equilibrar los ángulos de los electrodomésticos y demás equipos, proporciona más seguridad y hace que apetezca más estar en la cocina.

Los cuchillos, aunque sean utensilios necesarios, son puntiagudos y pueden ser peligrosos. Haz que tu cocina sea más pacífica guardando los cuchillos y otros instrumentos afilados fuera del alcance de la vista.

Así mismo, los estantes o altillos situados por encima de la cabeza pueden ser molestos, especialmente cuando están sobre lugares como la isla o el mueble con la tabla para cortar la carne, que son sitios donde la gente se sienta o está de pie. A menudo están abarrotados de objetos pesados y dificultan la búsqueda de cosas que están «perdidas en el espacio» por encima de la cabeza. Si necesitas guardar cazuelas y sartenes a mano, cuélgalas en la pared, donde no supongan ninguna amenaza y sean

Figura 8D
Aquí, la cocinera no puede ver lo que pasa detrás de ella y quizás eso la haga sentirse aislada e incómoda. Los objetos de los lados también le impiden el movimiento.

Figura 8E
Tras instalar el espejo detrás de la encimera, la cocinera puede ver lo que tiene detrás. El jarrón de flores, a su derecha, representa el elemento madera para equilibrar el espejo (agua) y el fogón (fuego).

fáciles de alcanzar. Utiliza una estantería de adorno y coloca artículos seleccionados para decorar y que sirvan de tema de conversación.

La encimera: El alma de la cocina

En el Feng Shui, la comida se asocia a la salud y la riqueza. Cuando disfrutamos de una situación próspera, podemos comprar los alimentos que forjan y mantienen nuestra salud. Si no es así, no podemos permitirnos comprar los mejores alimentos, y a raíz de ello, empeora nuestra salud. Comprar los alimentos de mejor calidad y más nutritivos nos permite conservar una de nuestras mayores riquezas: la buena salud.

Dado que la comida simboliza el puente entre la salud y la riqueza, se ha de dedicar especial atención al lugar donde se cocina. Mantén limpia la encimera y usa regularmente todos los quemadores, que representan la circulación abundante de riqueza en tu vida.

El mejor sitio para las encimeras son las islas (figura 8A), porque ofrecen una posición de control sobre la cocina y la preparación de la comida se realiza en el centro. Si el cocinero queda de espaldas a la puerta, coloca un espejo, como en la figura 8E, o algún otro objeto reflectante —una bandeja de metal brillante o una barra metálica para colgar utensilios— detrás o al lado de la encimera. Esto abre el espacio y al que cocina le permite ver lo que tiene detrás.

La encimera está relacionada con el elemento fuego, mientras que los fregaderos y espejos se asocian al agua. En la teoría de los cinco elementos (capítulo 3), el agua apaga al fuego. Si tu encimera está situada al lado del fregadero, o si instalas un espejo detrás del fogón, coloca cerca un símbolo perteneciente al elemento madera para activar el ciclo de generación de los cinco elementos y equilibrar la relación entre el agua y el fuego. Hay muchos objetos que pueden representar al elemento madera: cucharas, boles y tablas de cortar de madera, así como fruta fresca, flores y plantas.

Iluminación armoniosa y un lugar para sentarse

Toda cocina necesita un lugar para que se sienten los invitados. Si en tu cocina no tienes sitio para colocar una mesa y unas sillas, pon un taburete o dos en un rincón o ten sillas a mano para cuando se necesiten. En lugar de estar conversando de pie, la familia y los invitados pueden instalarse en la cocina y disfrutar de su calidez.

Para cocinar y preparar la comida es necesaria una buena iluminación, pero mejor que no sean fluorescentes. Aunque sean económicos y den mucha luz, al ser esta de color blanco gélido hace que la gente tenga un aspecto fantasmagórico o incluso cadavérico. Tu cocina será un lugar mucho más agradable si sustituyes los fluorescentes por luces incandescentes o halógenas. Cuando no puedas hacerlo, utiliza fluorescentes que emitan todo el espectro de luz.

El mapa bagua en la cocina

Figura 8F
Esta fotografía de Jan Gordon está situada en la cocina de la pareja, que se encuentra en la zona del amor y el matrimonio.

Revisa la situación de tu cocina en el mapa bagua y, si se encuentra en una zona donde quieres mover la energía, sé creativo. Cuando una pareja descubrió que su cocina estaba en la zona del amor y el matrimonio, la realzaron con la fotografía enmarcada que vemos en la figura 8F. Una esteticista cuya cocina estaba en la zona de la carrera profesional, eligió una fuente con melocotones para adornar la barra de su cocina como símbolo de los «cutis de seda». Haz trabajar tu imaginación y escoge el artículo de cocina correcto para realzar la zona bagua donde se encuentre tu cocina.

DIRECTRICES RÁPIDAS PARA LA COCINA

- Mantén limpia la encimera, usa todos los quemadores y colócala en un sitio donde veas toda la cocina.
- Organiza las superficies de trabajo y los armarios.
- Elige diseños con curvas o que tengan cantos redondeados.
- Pon asientos en la cocina.
- Sustituye o reduce los fluorescentes.
- Incluye los cinco elementos y realza la cocina según el mapa bagua.

9

La sala de estar:
Tu zona de recreo interior

*Jugar es un instinto animal básico. Nuestro mayor atractivo
se manifiesta cuando jugamos.*

ILSE CRAWFORD

La sala de estar suele ser la habitación más versátil de la casa. Como lugar de recreo y relajación, cuando mejor funciona es cuando satisface las necesidades de todos. La mágica sala de estar ha de ser capaz de «cambiar de chaqueta» con la rapidez que exijan las circunstancias y convertirse en la sala de juegos de un niño, en la sala de recreo de un adolescente, en un comedor, en un gimnasio, en un salón de baile y en un cine casero. Para conseguir esto, los miembros de la familia necesitan espacio para expresarse, así como un espacio accesible para guardar cosas.

Cuando en una sala de estar no hay sitio para guardar las cosas, reina el caos. Adultos y niños guardarán allí sus cosas con mayor prontitud si pueden hacerlo en la misma habitación sin tener que llevarlas a otra parte. Cuanto más fácil sea colocar y sacar las cosas, más probable será que impere el orden. Asigna a cada miembro de la familia una cómoda, baúl, cajón o armario, como en la figura 9A, donde puedan guardar fácil y rápidamente sus pertenencias.

Unos clientes que tenían dos hijas, de seis y nueve años, tenían una sala de estar que parecía una tienda de juguetes tras haber sufrido las con-

Figura 9A

Las salas de estar han de tener espacio para libros y otros tesoros, así como un lugar para que todos los miembros de la familia guarden sus cosas.

Figura 9B

Los equipos electrónicos, como el televisor, es preferible que estén en armarios cerrados.

secuencias de un huracán. Todo, incluso el televisor y los múltiples juguetes de las niñas, estaba siempre por en medio, lo que la convertía permanentemente en una caótica sala de juegos. Los padres hicieron tres cosas. La primera fue asignar a cada niña un gran «arcón del tesoro» de mimbre donde pudieran guardar sus juguetes cuando no estuvieran jugando. Los arcones estaban situados uno al lado del otro contra una pared a la que las niñas tenían fácil acceso. En segundo lugar, limpiaron un armario cercano para poner los juguetes grandes de las niñas. (Esto inició lo que yo llamo el efecto dominó del Feng Shui. Limpia un armario y, antes de que te des cuenta, abrirás todos los demás para revisarlos y limpiarlos.) En tercer lugar, compraron un armario con puertas para el televisor. Con sitios para guardar los juguetes y otras cosas, la sala de estar se convirtió en un lugar funcional para todos, que incrementaba la armonía familiar y una alegre y saludable corriente de energía por toda la casa.

Protege tus ritmos naturales

Muchos practicantes de Feng Shui consideran los equipos electrónicos instrumentos positivos. Y así es, cuando se usan correctamente, se cuidan bien y son apreciados por sus dueños. La mayor parte de las salas de estar están llenas de equipos electrónicos, como ordenadores, equipos de alta fidelidad y televisores. Pueden ser fantásticas fuentes de información y entretenimiento o devorar el tiempo de la familia, los interludios románticos y la pacífica soledad.

Guarda tus equipos en armarios a medida (figura 9B) o en muebles con puertas. También puedes cubrirlos con fundas o telas que hagan juego con la decoración de la sala. Nuestro lema para el equilibrio es «fuera de la vista, fuera de la mente». Generalmente, cuando una televisión está siempre a la vista, también suele estar encendida, y así se convierte a un valioso compañero en un desafortunado amo. Dedica la sala de estar a los biorritmos de la familia, que de cuando en cuando se ven satisfechos por la televisión y otros aparatos.

Mobiliario familiar

Elije muebles informales a los que puedas dar golpes, sobre los que puedas derramar cosas o que puedan sufrir otros accidentes parecidos sin que se estropeen. Una mesa de madera redonda u ovalada, con varias hojas para hacerla más grande en las ocasiones especiales, es un ejemplo de la mesa ideal para esta estancia. Haz que esta habitación sea acogedora y funcional utilizando tapicerías, recubrimientos para el suelo y muebles duraderos y cómodos. El chi de la felicidad familiar fluye mejor cuando la sala de estar es lo más indestructible posible. Emplea las mismas directrices que vimos en el capítulo dedicado al salón (página 135) para decorar tu sala de estar.

Adornos alegres

La sala de estar es el lugar adecuado para los colores y las obras de arte brillantes y alegres. Una simpática galería de fotos familiares, trabajos infantiles, boletines de noticias con los últimos acontecimientos familiares, colecciones de juguetes, juegos caprichosos y cualquier cosa lúdica y divertida son excelentes para la sala de estar. Busca tu sala de estar en el mapa bagua (capítulo 2) y escoge arte, colores y otros detalles que estén relacionados con ella. También es un buen lugar para las estanterías de libros y para disponer de un lugar cómodo donde leer con buena luz.

EJERCICIO DE CONTEMPLACIÓN

Observa las relaciones que mantienes con tu familia y tus amigos. Revisa si esas relaciones te gustan. Si no son afectivas ni te sirven de apoyo, reflexiona sobre lo que puedes hacer al respecto. Piensa en lo que has aprendido y en los «regalos ocultos» que has recibido de las relaciones. Puede que te hayan servido para saber establecer barreras, superar retos o ser fuerte ante la oposición. Cuando cultivas el perdón y dejas atrás el pasado, quedas libre para atraer nuevas relaciones afectivas y disfrutar de ellas en el presente.

DIRECTRICES RÁPIDAS PARA LA SALA DE ESTAR

• Facilita el suficiente espacio para que todos los miembros de la familia guarden sus cosas.

• Coloca los equipos electrónicos en armarios con puertas.

• Amuéblala con materiales duraderos y cómodos.

• Revisa las sugerencias para el salón, capítulo 6, página 135.

• Decórala con objetos divertidos y alegres e incluye estanterías para libros.

• No olvides el mapa bagua y los cinco elementos.

10

El despacho de casa:
Una central de productividad

El entorno de un despacho puede alimentar y expandir el espíritu humano del mismo modo que también puede reprimirlo. Si nuestros despachos son humanos, agradables y sagrados, lo que se produzca en ellos tendrá un senti-do de humanidad e integridad... El acto de convertir el sitio donde trabaja-mos en un lugar que nos guste puede transformar nuestra vida y, a su vez, in-fluirá positivamente en las vidas de quienes nos rodean.

DENISE LINN

Convierte el despacho de casa en un lugar de poder. Lo que hagas allí te conducirá directamente a la prosperidad y al éxito. Tanto si tu trabajo está cargado de acción como si es introspectivo, a tiempo completo o parcial, tu despacho ha de estar bien organizado y su distribución ha de potenciar la disciplina, la creatividad y el éxito.

Ubica el despacho en el conjunto de la casa

Cuanto más activo sea tu trabajo y más relacionado esté con la gente, más te beneficiarás de tener el despacho en la parte frontal de la casa. Estar en la parte de delante funciona especialmente bien cuando tú y los demás en-tráis y salís frecuentemente, como en muchas profesiones de ventas y de comercialización de productos.

Figura 10A

Este es el despacho de un consultor de marketing antes de las mejoras. La silla estaba de espaldas a la puerta, y la habitación, muy desordenada. El elemento fuego, que se encuentra en la silla roja, la ardiente alfombra y el gran cuadro del tigre, dominaba la estancia. Esto coincidía con sus problemas en aquellos momentos con clientes imprevisibles y desagradables.

Si tu trabajo es más contemplativo y está enfocado hacia dentro, la situación ideal es en la parte posterior de la casa. Las habitaciones traseras y los estudios ofrecen la atmósfera necesaria para los artistas, los escritores y todo aquel que necesita paz y tranquilidad para trabajar.

Colocación de la mesa: Con independencia de dónde esté situado tu despacho, toma las riendas del éxito organizando la habitación para que hasta el más mínimo detalle esté a tu servicio. La situación de la mesa es de vital importancia. Lo ideal es poder ver perfectamente la puerta cuando estás sentado, tener una vista agradable desde la ventana y una pared sólida detrás de ti (figura 10B). Esto te ofrece un apoyo completo desde atrás y una vista de control desde delante. Observa que los grandes ejecutivos nunca se sientan dando la espalda a la puerta. Si en la habitación hay más de una zona de poder, siéntate en cada una de ellas durante unos minutos para determinar cuál es la que más te gusta. Algunas personas se encuentran más cómodas sentadas a un lado u otro de la puerta, en lugar

FIGURA 10B

Una de las mejoras consistió en colocar la mesa de modo que dominara la habitación y desde ella pudiera verse la puerta. La mesa, de cristal opaco y patas negras, el tapete negro para el ordenador y el bol de cristal representan la influencia refrescante del elemento agua. Se eliminó la alfombra roja para corregir el exceso del elemento fuego y facilitar el movimiento de la silla. Los archivadores y la estantería se colocaron de modo que encajaran mejor con el nuevo estilo del despacho y ayudaran a mantener el orden. Al poco tiempo de haber realizado estos cambios, su mejor cliente le ofreció un proyecto para trabajar a tiempo completo.

de hacerlo directamente frente a la misma. Esto proporciona una mayor protección, a la vez que siguen teniendo una buena vista.

La reivindicación de la posición de poder en el despacho de casa, con frecuencia supone cambiar de sitio la mesa de trabajo y colocarla como si fuera una isla en la habitación, en lugar de apoyarla contra una pared, de modo que resulte atractiva desde todos los ángulos, sin exponerla a cables enredados o cantos inacabados. Encierra los cables en una moldura diseñada para ello (puedes encontrarla en cualquier ferretería o tienda de electricidad) y pásala por fuera de la zona de peligro escondiéndola debajo de la alfombra o de la moqueta. A ser posible, diseña el despacho de tu casa con enchufes en el centro del suelo, para evitar que pasen los cables por la pared.

FIGURA 10C
El escritorio en el despacho de esta profesional de la salud se diseñó de espaldas a la puerta.

FIGURA 10D
El espejo le ofrece una vista perfecta de la puerta, relaja su sistema nervioso e infunde fuerza a su trabajo. Cuando instaló el espejo, el reflejo multiplicaba el desorden, lo cual la motivó a ordenar y arreglar el despacho.

También puedes comprar una mesa de despacho con una abertura por donde se puedan pasar los cables para que no se vean y la parte delantera siga «teniendo un aspecto agradable». Si la madera de la parte frontal de la mesa está deteriorada, puedes transformarla dándole una capa de barniz o pintura, o bien esconderla detrás de pequeñas pantallas, plantas, estanterías para libros o muebles. También se puede cubrir con una funda hecha a medida con una atractiva tela que encaje en la parte superior y por tres de los cantos. Pon un cristal encima de la tela y ya tienes mesa nueva.

Saca el máximo partido de tu situación

Aunque lo ideal para el despacho sea ver la puerta y la ventana, la visión de la puerta tiene prioridad. Si pierdes una buena vista de la ventana en pro de la puerta, cuelga un espejo que te ofrezca su reflejo. Si das la espalda a una ventana, refuerza tu sentido de estabilidad y protección colocando algo sustancial —como una planta grande o un mueble— entre la ventana y tú. Si no puedes soportar perder la vista de la ventana, pon un espejo de modo que puedas ver la puerta cuando estés sentado.

Puesto que los espejos agrandan e iluminan una habitación, activan la energía y son apropiados para un despacho. Tal como vemos en la figura 10D, un espejo situado estratégicamente también puede mejorar una habitación cuando no es posible mover los muebles para ver la puerta. Coloca un espejo de pie o bien uno de pared donde se refleje la puerta que tienes detrás cuando estés sentado. Los espejos pequeños compactos y los de afeitarse también sirven, puesto que su finalidad no es necesariamente la de reflejarte a ti, sino cualquier cosa que tengas detrás. Los objetos artísticos reflectantes también pueden servir para captar cualquier movimiento que se produzca a tus espaldas.

Idealmente, los espejos reflejan imágenes armoniosas, por eso cerciórate de que no están duplicando vistas desagradables. Mejora la presencia de la habitación manteniéndola ordenada y con flores, cuadros y cortinas para las ventanas.

Amuebla tu despacho

Hay varias directrices que debes tener en cuenta cuando amueblas tu despacho. En primer lugar, al igual que con todas las habitaciones, aleja al máximo el estrés y la irritabilidad escogiendo muebles con cantos redondeados o colocando las cosas que tengan esquinas en punta fuera del paso. También puedes colocar los muebles con esquinas puntiagudas, como archivadores, en diagonal (como en la figura 10B) o guardarlos en armarios.

En segundo lugar, al escoger el escritorio o la mesa de trabajo, piensa qué medida y diseño te van mejor. Puede que necesites más de una mesa de trabajo para satisfacer tus necesidades, de modo que habrás de determinar la altura que vaya bien con tu silla. Piensa también dónde vas a colocar tus equipos, como el ordenador, el fax y la impresora, y los otros muebles que vas a necesitar —silla para leer, mesa de reuniones, estanterías— en la habitación.

Me he dado cuenta de que yo trabajo mejor en una gran mesa redonda con varias sillas alrededor, como si fuera una mesa de comedor. Cada silla es una «estación» donde pongo un trabajo específico. Durante el día me voy cambiando de silla y trabajo en varios proyectos. Me gusta levantarme y moverme alrededor de la mesa, y mover fácilmente el trabajo de una estación a otra a medida que avanzo en un proyecto. Un espejo refleja la puerta en la estación que no tiene vista. Este estilo único ha surgido de mis observaciones de lo que a mí me funciona, en lugar de adaptarme a lo que ofrecen las tiendas de muebles para oficina. En el despacho de casa creas tu central de productividad, eficiencia y creatividad. Satisface al máximo todas tus necesidades.

En tercer lugar, las superficies de trabajo o los escritorios rectangulares, circulares, ovales o en forma de riñón son los mejores. Siempre que tengas una área de trabajo que esté de espaldas a la puerta, instala un espejo o un cuadro con marco de vidrio reflectante para que refleje la puerta. La forma ideal para la mesa de reuniones es circular u oval, ya que mantiene el flujo de armonía e igualdad alrededor de la misma.

En cuarto lugar, aunque el color y el material de la mesa dependen del gusto personal, la mayoría de las personas prefieren una superficie donde el papel blanco contraste bien. Los papeles tienden a desaparecer en las superficies blancas y contrastan en exceso en las negras. Cualquiera de estos extremos puede cansar la vista. Las superficies de cristal transparente tienden a desaparecer debajo del papel, lo cual también puede causar fatiga ocular. La mayoría de las superficies de madera o de tonos medios proporcionan la cantidad correcta de contraste sin cansar la vista.

En quinto y último lugar, tu silla es tu trono. Considérala una pieza vital de tu despacho y elige la que te resulte más cómoda. Esto es de la mayor importancia. Tu capacidad para producir y prosperar se ve considerablemente incrementada por una silla de trabajo adecuada. Concédete una silla ergonómicamente correcta, que tenga un buen apoyo lumbar y una altura ajustable. La mayoría de las personas medran en las que se balancean de delante atrás, tienen cinco patas, ruedas firmes, respaldo alto, reposacabezas y brazos ajustables. Siéntate siempre antes de comprarla, es la única forma de saber que realmente has encontrado tu trono.

Los campos electromagnéticos

También has de tener en cuenta los campos electromagnéticos (CEM) de los equipos electrónicos y de los que funcionan con pilas. Probablemente te sientas a unos dos metros del televisor, pero, ¿qué me dices del resto de los equipos? Un medidor de campos electromagnéticos te dará una idea de a qué CEM estás expuesto cuando usas el ordenador, el fax y el teléfono, así como el secador de pelo, la máquina de afeitar, el microondas y la batidora. Te sorprenderá saber a cuánta radiación nos sometemos a diario. Uno de mis clientes utiliza auriculares para el teléfono a fin de evitar el alto campo electromagnético que se crea alrededor del inalámbrico, mientras que otro quitó el fax de su mesa. Tu mejor defensa es saber el nivel de CEM que generan tus electrodomésticos y equipos electrónicos. Luego úsalos menos o aléjate de su campo de radiación como mínimo un metro.

Organízate y mantén el orden

La organización en el despacho no es una opción, es absolutamente imprescindible. El chi poderoso y productivo no puede hallar su camino a través del desorden y el caos. Conviértete en el «samurai del desorden» y corta cualquier tendencia a amontonar catálogos, revistas o boletines de noticias que no tengan relación con tu trabajo, así como papeles en los rincones u otros sitios de la oficina. Esto es esencial para la creatividad, el nivel de energía y la habilidad para atraer nuevas oportunidades. He visto muchos despachos que eran caóticos almacenes donde durante años se habían apilado montañas de correo y papeles. En todos los casos, el caos había conducido a un deterioro de la productividad. Para que tu despacho sea eficaz, has de ordenarlo regularmente a fin de que los nuevos proyectos y las empresas creativas tengan un lugar donde florecer.

Si te encuentras metido a fondo en el caos y no puedes salir de él, ¡no desesperes! Contrata a un organizador profesional para acomodar convenientemente tu espacio de trabajo. Con o sin la ayuda de otra persona, es vital que descubras tu estilo personal de trabajar para que puedas mantener un despacho organizado y libre de trastos. Por ejemplo, puede que seas como yo, que necesito tener las cosas en montones en lugar de archivadas para trabajar bien.

En mi opinión, los archivadores son lugares donde los papeles se pierden para siempre. Yo necesito ver mis proyectos mientras estoy trabajando en ellos. Para mantener el orden, tengo una pared con estanterías que van del suelo al techo, de 60 cm de profundidad. Su generosa profundidad permite dejar los papeles que he de tener a la vista delante de los libros de referencia y manuales de enseñanza. Cuando he terminado un proyecto, ya puedo archivarlo, pero nunca antes de haberlo terminado. Antes de instalar estas estanterías, tenía montañas de papeles y libros colocados como una «guirnalda» alrededor de mi mesa. Para mí, los estantes son una forma mucho más organizada y agradable de ver en lo que estoy trabajando.

La sensualidad del despacho

Cuando personalices el despacho de casa, conecta con tus cinco sentidos. Recuerda que es tu batería mundana, donde te pones las pilas y produces. Probablemente no te vas a inspirar mirando todo el día una pintura que no sabes dónde poner, muebles que no hacen juego o colores monótonos. Ten muy en cuenta cada uno de tus sentidos. Decide qué vistas, sonidos, gustos, olores y sentimientos despiertan tu poder, tu creatividad, tu energía y tus recursos.

Un cliente eligió un escritorio de madera de palisandro con pinturas de caballos salvajes como realces visuales. Se inspira escuchando a Vivaldi y otros clásicos, bebe café torrefacto francés en tazas de porcelana china y le encanta su gran silla de cuero. Una de mis clientas ni siquiera imaginaría semejante despacho. Ella trabaja en el etéreo resplandor de pinturas de Gilbert Williams, paredes de color lavanda y luz natural a raudales. La música que escucha es *New Age* de artistas como Yanni y Raphael, bebe agua mineral de una garrafa de cristal y se mece en una silla morada ergonómicamente correcta. El despacho de su marido está «vestido» con el estilo natural de los muebles de roble, paredes doradas y carteles enmarcados de hermosos paisajes. Bebe té verde en una jarra de cerámica, se sienta en una silla de oficina con respaldo alto y escucha el gorgoteo de una pequeña fuente artificial que tiene encima de la mesa.

Rodéate de las cosas que te inspiran, te hacen ser creativo y productivo. El despacho de casa es el lugar donde expresas grandes cosas en el mundo. Haz que sea tu central de productividad. Obtendrás grandes recompensas cuando lo hagas.

Bagua de poder: Esquema del despacho y del escritorio

Usa el mapa bagua (capítulo 2) para dar fuerza a tu despacho. Con el mapa en la mano, sitúate en la puerta del despacho y mira la habitación. Desde este sitio privilegiado, determina por qué zona del mapa estás entrando en la estancia; generalmente serán las zonas del saber y la cultura, la carrera profesional o las personas útiles y los viajes. Por ejemplo, en la figura 10B se entra en la habitación por la zona de las personas útiles y los viajes. El gran cuadro del tigre, detrás del escritorio, está en la zona de la fama y la reputación y representa el poder y el enfoque en los negocios. El fax, que está en la zona del amor y el matrimonio, favorece la comunicación entre el asesor y sus clientes. La zona de la riqueza y la prosperidad está realzada con la impresora y el archivador, y en la estantería, en la zona de la salud y la familia, hay archivos y papeles personales. El asesor realzó sistemáticamente todas las zonas bagua de su despacho, lo cual aportó un chi y un éxito tremendos a su negocio. Tú puedes hacer lo mismo, poniendo especial atención en las zonas que corresponden a tus actuales metas en la vida. Colocar en el despacho de casa objetos que afirmen las distintas zonas bagua, estimula y mantiene la creatividad y da al despacho un aire de recogimiento, a la vez que proporciona equilibrio y calidez exterior.

Figura 10E
Este es un ejemplo de escritorio organizado según el mapa bagua. El ordenador está en la zona de la carrera profesional; los libros de referencia en la del saber y la cultura; las cajas de flores, con una serie de útiles de oficina, están en la zona de la salud y la familia; en la zona de la riqueza y la prosperidad hay un cuenco de cristal y una calculadora; una lámpara en la de la fama y la reputación; una foto y un jarrón con dos rosas en la del amor y el matrimonio; lápices y bolígrafos en la de los hijos y la creatividad, y el teléfono en la de las personas útiles y los viajes.

El mapa bagua también puede aumentar la corriente de chi alrededor de la mesa de trabajo. Tu «entrada», tal como vemos en la figura 10E, es el lugar donde te sientas en el escritorio, generalmente en la zona de la carrera profesional. Desde tu asiento, defines dónde está cada *gua* de tu escritorio. Justo delante, en el centro y al fondo, está la zona de la fama y la reputación. Es un lugar perfecto para poner cosas que inciten tu sentido de realización y representen tu buena reputación, como premios y diplomas. Puesto que la fama y la reputación se asocian al elemento fuego, también puedes elegir cosas que representen al fuego, como una lámpara, fotos de animales o personas, objetos rojos, flores, marcos o recipientes para poner lápices, bolígrafos, etc. Cuanto más personales y poderosas sean tus selecciones, más forjarán y apoyarán tu productividad y tu éxito. Haz un mapa de tu escritorio y de tu habitación, prestando atención especial a realzar las *guas* que están relacionadas con las áreas de tu vida que te gustaría mejorar.

DIRECTRICES RÁPIDAS PARA EL DESPACHO DE CASA

- Elige un lugar de la casa que encaje con tu vocación.
- Colócate en la posición de poder del despacho.
- Tras determinar tus necesidades, escoge muebles seguros, cómodos y estéticos.
- Mantén el orden y elimina las cosas que no uses.
- Pon cosas que agraden a todos tus sentidos.
- Realza tu despacho y tu escritorio según el mapa bagua.

11

Los dormitorios:
Serenidad sensual

*El dormitorio representa la paz del reposo, los vuelos de los
sueños y las potentes energías sexuales... El dormitorio encierra
poder y misterios insondables.*

ANTHONY LAWLOR

La serenidad y la sensualidad —dos requisitos para una existencia sana y
feliz— suelen estar ausentes en nuestra cultura occidental y el dormitorio
es el lugar donde podemos hallarlos. Los dormitorios son para dormir,
leer, reflexionar, hacer el amor y recargar las pilas: un antídoto perfecto
para un día de estrés y trabajo. Puesto que todos los aspectos de la vida están interconectados, la calidad del descanso que nos ofrece el dormitorio
es vital para nuestra felicidad, salud y productividad. Un dormitorio acogedor y sensual invita a un buen descanso y revitaliza el cuerpo, la mente y el espíritu.

Desgraciadamente, hay muchos dormitorios que no cumplen bien su
función como lugares de descanso. Mientras que otras habitaciones de la
casa están arregladas con gusto, el dormitorio puede estar terriblemente
decorado con cosas antiguas de la universidad, ropa de cama que daña la
vista y carteles sin enmarcar. Lo que se piensa es que el dormitorio no es
tan importante porque «nadie lo ve» y «tampoco pasamos allí tanto tiempo». ¡Bueno, no me sorprende! Cuando he preguntado, muchas personas

me han confesado que no dormían bien y que siempre estaban agotadas. ¿Y el interés sexual? Sencillamente estaban demasiado cansadas para tenerlo.

El Feng Shui presenta una nueva visión. Los dormitorios están relacionados con el elemento metal, conllevan el acto de «sumergirse» bajo suaves y desenfadadas colchas y dejarse abrazar en un tranquilo confort. Sin embargo, los dormitorios tratados como un objeto olvidado no pueden nutrir ni rejuvenecer. Cuando consideres prioritario aportar serenidad y sensualidad a tu dormitorio, esa habitación que quizás hayas estado evitando durante años se convertirá en un santuario. Cada noche, como si fuera un imán, te sentirás atraído hacia su cálido abrazo, para dormir bien, renovarte por completo y cargarte de energía para las actividades diurnas.

Yo considero mi dormitorio un lugar sagrado. A mi esposo, Brian, y a mí nos encanta su pacífica atmósfera y caemos en la acogedora cama

Figura 11A

Este dormitorio incluye colores cálidos, ropa de cama suave, el arte favorito de los propietarios y un diseño general sencillo y sereno.

tras nuestras largas y activas jornadas. Es un dormitorio sereno, acogedor y sencillo. Hay una cama de tamaño extragrande, dos lamparas de sobre-mesa para leer, dos mesitas de noche y una mesita para velas. La cama está cubierta con edredones nórdicos y almohadas con fundas de franela granate y dorada. La cabecera es un biombo chino tallado que representa una escena nocturna. Como objeto artístico tenemos un gran abanico de-corado con grullas anidando y un ángel balinés. El suelo está cubierto con moqueta en tonos rojos, azules y dorados oscuros. No hay televisión, y salvo cuando hay algún problema familiar, el timbre del teléfono está des-conectado. Las cortinas se descorren para dejar ver el jardín de la parte posterior de la casa y se corren para dejar la habitación deliciosamente a oscuras, incluso a plena luz del día. Allí, envueltos en una sensual calidez y serenidad, hallamos el descanso, el amor y la energía.

Mobiliario y decoración: Diseña el nido perfecto

El bienestar y la seguridad que sientes en el mundo están directamente conectados con lo seguro y cómodo que te sientas en tu casa. Es evidente que los dormitorios han de cumplir especialmente esas condiciones. Eli-ge una decoración para la cabecera de la cama que sea ligera, como telas y guirnaldas (figura 11B), o que esté bien fijada a la pared. No pongas co-sas pesadas ni objetos sueltos, como las estrellas de hierro de la figura 11C. A la hora de decorar, elige cosas que no tengan esquinas o cantos en punta que puedan resultar peligrosos para algunas partes del cuerpo que estén dormidas... o amorosamente despiertas. Evita patas de metal que sobresalgan, objetos puntiagudos o relieves afilados que puedan he-rirte gravemente, como en las figuras 11D y 11E. Elige diseños y mate-riales que no te envíen al hospital por un mal movimiento.

Los espejos activan la energía en el dormitorio y pueden interferir en un buen descanso provocando agitación e insomnio. Cuanto más grande sea el espejo y más cerca esté de la cama, más fácil es que altere el sueño. Puesto que muchos dormitorios occidentales cumplen también la función de vestidores, suele ser difícil eliminar los espejos, como en el caso de los armarios con puertas de espejo. En este caso, puedes beneficiarte de lo mejor de ambas cosas poniéndoles cortinas como si fueran ventanas,

Figura 11B

Aunque esta artística guirnalda de lazos y rafia cayera encima de la cama, no haría ningún daño. Simboliza la unión de una pareja y está hecha por su dueña. Las mesitas de noche y las lámparas a ambos lados de la cama representan la igualdad en su relación.

Figura 11C

Estas estrellas de hierro cuelgan precariamente sobre la cama de un joven. Este no es el lugar para objetos decorativos pesados mal instalados. Cuando desees colgar algo pesado sobre la cama, hazlo bien para que no haya accidentes.

Figura 11D
A simple vista, este dormitorio parece acogedor, pero el diseño de la cama presenta un problema al Feng Shui.

Figura 11E
Los relieves de metal de la cama acaban en punta como si fueran cuchillos y pueden rasgar la ropa o herir a alguien.

como vemos en las figuras 4N y 4O de las páginas 112 y 113. «Destapas» el espejo durante el día y lo «tapas» durante la noche.

Recuerdos y asociaciones: ¿«Con quién» duermes esta noche?

Puesto que tus pertenencias están básicamente vivas, es muy importante que tu conexión con todos los objetos del dormitorio despierte una respuesta positiva y revitalizadora. ¿Hay algo que te traiga malos recuerdos? No permitas que tus cosas te provoquen sentimientos, pensamientos o asociaciones negativos, sobre todo en el dormitorio, donde recibimos las primeras y las últimas impresiones del día.

Una clienta había comprado sus espléndidos muebles de dormitorio con su ex marido bastantes años atrás y no había tenido ni una sola cita en sus seis años de divorciada. Cuando miró con sus ojos Feng Shui, sus muebles de lujo fueron bastante expresivos. De pronto, oyó la «charla» de los recuerdos y las asociaciones relativos a su matrimonio, la infidelidad de su marido y el drama de su divorcio. ¿Quería ella que estuvieran vivos estos recuerdos en su vida diaria? ¡Por supuesto que no! Deseaba seguir adelante, no volver atrás. Decidió deshacerse de los muebles que la encadenaban al pasado y comprar unos que representaran un nuevo comienzo. Su comentario fue: «¡No me extraña que no pudiera dejar atrás mi divorcio!».

EJERCICIO DE CONTEMPLACIÓN

Pregúntate qué recuerdos, pensamientos, sentimientos y asociaciones viven en tu dormitorio. ¿Qué te están «diciendo» cada uno de ellos cada vez que los miras? Limpia tu dormitorio de objetos que contengan recuerdos negativos y asociaciones vivas, y descubrirás que este te acogerá y revitalizará.

Figura 11F

Los aparatos para hacer gimnasia pueden ser muy «parlanchines», especialmente cuando no los usas con la frecuencia que crees que deberías. Es mejor trasladar los aparatos a otra habitación o taparlos con una pantalla para no verlos desde la cama.

Figura 11G

Dado que no había otro lugar en la casa para la bicicleta estática, el propietario usa un biombo traslúcido que puede mover fácilmente cuando es necesario.

Escritorios, aparatos de gimnasia y otros extraños compañeros de cama

Junto con las cosas que traen asociaciones y recuerdos no deseados, hay otros artículos que es mejor no tener en el dormitorio. Los escritorios y los aparatos de gimnasia están relacionados con la actividad y pueden alterar la serenidad de la habitación. Los escritorios están «despiertos», con trabajo, facturas y negocios por concluir, mientras que las «cintas mecánicas para correr» y las bicicletas estáticas siempre nos están diciendo que nos levantemos a hacer ejercicio. Justo cuando necesitas descansar, estas dos «figuras de acción» interrumpen tu descanso y anuncian que has de acabar un informe o que empiezas a estar un poco fofo. A la inversa, cuando ves la cama desde el escritorio o la bicicleta, te puede sugerir que es el momento de dormir una siesta.

Cuando vivía en un apartamento pude observar esto. Puesto que veía la cama desde la mesa de trabajo y al revés, me metía en la cama pensando en todo el trabajo que tenía, y cuando estaba trabajando me quedaba adormilada. Resolví el problema y mejoré la visión con un biombo de madera de seis hojas que definía dos áreas distintas: un lugar para estar despierta donde podía trabajar bien y otro dedicado al descanso.

Para conservar la paz y la tranquilidad del dormitorio, dedícalo a su función principal, la de alojar la cama. Haz que esta sea la que gobierne la habitación y pon las cosas que reclamen actividad en otro sitio. Cuando no tengas otra opción, traslada los muebles y equipos «activos» lo más lejos posible de la cama (figuras 11F y 11G) y cúbrelos o sepáralos con un biombo de modo que no puedas verlos desde la cama. Los muebles que sugieren relajación, como las *chaises longues* y las sillas de lectura, constituyen agradables complementos para crear ambiente en un dormitorio.

La vista desde la cama: Las primeras y las últimas impresiones

En el Feng Shui, la cama debería estar situada de modo que se vea la puerta sin estar justo delante de ella. Esto puede implicar que tengas que

FIGURA 11H

Aquí no hay separación entre el dormitorio y el baño. Esto hace que al cuarto de baño le falte intimidad y al dormitorio tranquilidad.

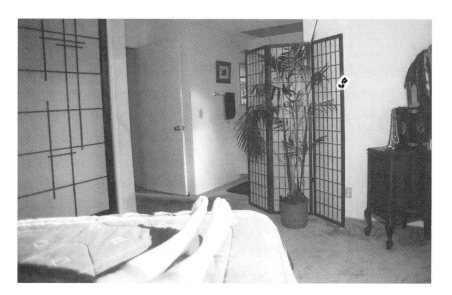

FIGURA 11I

Una palmera y un biombo shoji que hace juego con las puertas del armario mejoran la vista y aumentan la sensación de intimidad y tranquilidad, a la vez que siguen permitiendo acceder fácilmente al cuarto de baño.

situarla en un lado de la habitación, sin perder por ello la visión de la puerta. Cuando la cama no puede estar en otro sitio que no sea directamente delante de la puerta, coloca un buen pie de cama, un baúl u otro tipo de mueble a los pies de la cama para marcar una separación entre la puerta y tú. También puedes poner una cortina o un dosel para separar la cama de la puerta, pero para sentirte cómodo siempre has de poder ver a través de la cortina. Así mismo, si tienes una ventana justo encima de la cama, pon un buen cabezal y protege la ventana de modo que no estés directamente expuesto a ella y te sientas seguro. Si tienes un buen cabezal o pantalla detrás, también puedes colocar la cama en diagonal.

Lo que veas desde la cama influirá en tu visión del mundo. ¡Haz que sea buena! Mejora una vista que te lleve directamente a un armario caótico o a un cuarto de baño, como en la figura 11H, y sustituye los cuadros o esculturas que no sean sensuales o serenos. Hacer un cambio estructural, como cambiar la puerta de sitio o añadir otra, puede que no sea posible, pero casi siempre puedes cerrar, poner cortinas o biombos en los pasillos abiertos, como en las figuras 11H y 11I. Crea una visión tranquila con obras artísticas, plantas sanas y colores relajantes, o con una distribución apaciguadora de los objetos. Elige objetos o elementos que te resulten agradables, consciente de que eso es lo primero que vas a ver por la mañana y lo último que verás por la noche.

Roperos y cómodas: Focos de abundancia

Estás tan conectado con lo que hay tras las puertas de tu armario y dentro de tus cajones como con todo lo demás que hay en tu casa. Puesto que en nuestra cultura occidental abundan las pertenencias, los armarios de los dormitorios y las cómodas suelen acumular un exceso de prendas y suplementos, lo cual restringe el movimiento armonioso del chi por el dormitorio y por la vida. Revisa sinceramente tus «focos de abundancia» regularmente y deshazte del exceso de peso. Las figuras 11J y 11K muestran el vestidor de una clienta antes y después de haberlo limpiado y ordenado. Se quedó sorprendida del cambio que ello supuso en su claridad mental y bienestar emocional. No subestimes la importancia de poner esto en práctica. En el Feng Shui, el caos privado es tan devastador como

Figura 11J

Un vestidor ordenado favorece la claridad, la paz y el poder personal. Cuando desees atraer oportunidades y experiencias positivas, limpia tus armarios. Siempre funciona.

Figura 11K

Un armario revuelto y caótico incita a la confusión y produce una sensación de impotencia y una falta de poder personal.

el caos público. Todo influye. Muchos dormitorios parecen limpios hasta que abres las puertas de los armarios y sale el desorden. Lo que ves todos los días en la intimidad de tus cajones está dejando una impresión en ti. Es esencial que esa impresión sea positiva.

Uno de mis mayores descubrimientos personales es este: cuando me deshago de algo que no necesito, aparece en mi vida lo que necesito. Al retirar lo viejo, dejo sitio para lo nuevo y la calidad de mi vida mejora continuamente. La primera vez que descubrí esto fue cuando, como practicante de Feng Shui, me vi obligada a enfrentarme a mi armario ropero. Verlo en aquel deplorable estado era terrible. Era como un jardín que no había sido cuidado durante años. Reinaba la confusión, y todos los días tenía que abrirme camino en aquella jungla para conseguir vestirme. Decidí seguir el ejemplo de una amiga que, además de tener mucho éxito en la vida, había organizado su armario por colores. Todos los pantalones blancos estaban juntos, les seguían los amarillos, los rojos, los azules, los morados, los marrones y los negros. Lo mismo hizo con las blusas y los vestidos. Su armario siempre parecía un arco iris.

Mientras revisaba las prendas y me desprendía de las sobrantes, agrupé un montón de cosas para dar. Tras haber quitado de en medio unas cuantas prendas, pude ver lo que tenía y lo que necesitaba. Esto me dio una idea. Llamé a una docena de amigas y les pedí que hicieran lo mismo que yo para hacer un intercambio de ropa. Lo que ninguna quisiera, al final de la noche se podía llevar al centro de acogida para mujeres de nuestra localidad. Dos semanas después todas íbamos en ropa interior probándonos las prendas de las otras. Nuestra única regla era: coge sólo lo que necesites. ¡No acapares! Cada una de nosotras se marchó con nuevos tesoros y buenos recuerdos, y el centro de acogida recibió diez bolsas de ropa que incluían bolsos, zapatos y complementos. Desde entonces, el intercambio de ropa se ha convertido en una tradición anual entre nosotras.

Dedica un tiempo a revisar tus armarios, cómodas y joyeros y reúne todo aquello que ya no uses o no quieras. Luego véndelo o dalo y anota cuándo lo hiciste. Durante los siguientes 30 días, observa las oportunidades, si se han presentado en tu vida experiencias sincrónicas y nuevas pertenencias que realmente necesitas y deseas.

Atracción sensual

Puesto que en la práctica del Feng Shui honramos a los cinco sentidos, nos centramos en crear entornos verdaderamente sensuales. Tanto si estás casado como soltero, tu dormitorio ha de ser el lugar donde todos tus sentidos se sientan reconfortados e íntimamente honrados. Puedes encender una vela aromática, poner música y relajarte. Es el oasis donde disfrutar de los placeres que te gustan; cualquier cosa, desde té con cruasanes hasta champán y fresas. Es el lugar donde puedes hacer uso de telas sensuales, como la felpa, la franela, la seda, el algodón, el satén y el terciopelo.

Los mejores colores para el dormitorio son los tonos de piel de todas las razas: beige perla y tostado, cacao crema, rosa y melocotón rojizo, amarillo sutil, violeta pálido y ocre rojizo. Hay una gran variedad de tonos pastel cálidos, así como tonos más pigmentados y fuertes como el coral, chocolate, crema, terracota, bermellón, frambuesa, berenjena, burdeos, cobre, oro y bronce. El blanco nieve, el gris, el negro, los azules y los verdes grisáceos pueden resultar espléndidos, pero si dominan tal vez hagan que la habitación resulte demasiado fría para ser sensual.

Hubo un caso de una pareja joven que había elegido unos muebles para el dormitorio lacados en color negro; las paredes estaban pintadas de gris y la moqueta era del mismo color. Bajo su edredón de plumas se escondían una sábanas de color verde oscuro y gris acero. Su intención de crear un dormitorio «frío» fue un éxito. Se quejaban de que su libido estaba por los suelos y de que su vida era aburrida.

Para equilibrar el dormitorio compraron ropa de cama, alfombrillas y otros complementos de color vainilla y frambuesa. También pintaron las paredes de color vainilla fuerte y añadieron varios cuadros de desnudos en tonos complementarios. El resultado fue un delicioso regalo para la vista. Su «palacio de hielo» se derritió y se convirtió en un lugar acogedor donde relajarse y disfrutar juntos. De hecho, ahora suelen ir a la cama a tomar el «postre».

Si tu dormitorio está decorado con tonos fríos, introduce tonos cálidos complementarios. Esto se puede hacer de muchas formas: una nueva capa de pintura, sábanas, almohadas, cojines, colchas, objetos artísticos, edredones, fundas nórdicas, alfombras, mantelitos, flores y velas. Como siempre, ¡cerciórate de que lo que has elegido realmente te inspira!

EJERCICIO DE CONTEMPLACIÓN

¿Cuáles son algunas de las formas más agradables de calmar tus sentidos de la vista, el oído, el olfato, el tacto y el gusto? Haz una lista de lo que atrae y gusta a cada uno de tus sentidos y tenla en cuenta mientras piensas en nuevas ideas. Si compartes el dormitorio, pregúntale a tu compañero o compañera qué es lo que le gusta e incorpora también esas ideas. Has de sentirte atraído por las cualidades sensuales de tu dormitorio todas las mañanas y todas las noches.

El abrazo del arte

El arte que hay en el dormitorio produce un fuerte impacto en la mente. ¡Haz que sea positivo! Introduce imágenes sensuales, serenas o románticas que te calmen o inspiren. No pongas circos de tres pistas, grandes ciudades, figuras de acción o pinturas con personas tristes u horribles.

Una mujer que padecía insomnio debido a su «ansiedad laboral», tenía un cuadro con un circo de tres pistas en plena actuación sobre el cabezal de la cama. El cuadro no sólo era tremendamente activo, sino también muy grande y pesado. Para acabarlo de arreglar, había puesto una cenefa en la pared de papel pintado con animales circenses haciendo cabriolas por toda la habitación. Había elegido el cuadro y la cenefa porque hacían juego con los colores verde azulado y terracota que decoraban el dormitorio. Nunca se le hubiera ocurrido que el contenido y la situación del cuadro pudieran afectar a su sistema nervioso negativamente. Trasladó el cuadro del circo a la sala de estar y notó que se calmaba inmediatamente. Varias semanas después, la cambiaron de departamento en su trabajo y sus tareas eran mucho más relajadas y de su agrado.

El televisor en el dormitorio: ¿Quién mira a quién?

Tengo muchos clientes a los que les gusta ver la televisión en el dormitorio. Cuando se da este caso, siempre insisto en que guarden la tele en un armario como el de las figuras 11L y 11M. Los televisores tienen mucho magnetismo y atraen la atención cuando están a la vista. La mayor parte

Figura11L
El mejor sitio para un televisor en el dormitorio es dentro de un armario...

Figura 11M
... para poder «ponerlo a dormir» cuando no se use. Observa lo tranquilo que está el dormitorio cuando las puertas del armario están cerradas. Esta habitación también tiene pintada una cenefa hecha por la artista Jacki Powell, que traza la línea entre el cielo y la tierra y compensa el techo abovedado.

FIGURA 11N

Esta mujer está durmiendo con la cabeza orientada al norte, la dirección que refuerza la salud física y la vitalidad.

de los programas de televisión son películas de acción o malas noticias, ninguno de ellos favorece el sueño profundo y restaurador. Lo que necesitamos antes de ir a dormir es introspección, inspiración y tranquilidad. Antes de retirarte por la noche, piensa en escribir tu diario, leer o reflexionar sobre lo que has hecho durante el día, en lugar de mirar la televisión.

La orientación de la cama

Las personas de todas las edades se benefician de dormir con la cabeza hacia el norte, el sur, el este o el oeste, según sus necesidades del momento. En general, cuando la cabeza está orientada al norte, como la mujer de la figura 11N, se refuerzan la salud y la vitalidad. Esta suele ser la mejor dirección para dormir. No obstante, vamos a considerar los beneficios de las otras direcciones. La orientación al sur favorece la intuición y puede estimular los sueños y la memoria. La orientación al oeste tiende a lentificar la vida y es útil cuando el estrés nos provoca agitación o insomnio; la orientación al este tiende a acelerar la vida, ayuda a vencer la pereza y la depresión. Las orientaciones noroeste, nordeste, suroeste y sureste combinan las cualidades de ambas orientaciones. Por ejemplo, dormir con la cabeza hacia el noroeste refuerza la salud física y lentifica el ritmo de vida, mientras que dormir orientado hacia el sureste estimula la intuición y el recuerdo de los sueños y aumenta la energía.

Una madre descubrió que su hijo, hiperactivo, dormía con la cabeza orientada hacia el este. Le puso la almohada al otro extremo de la cama, es decir, al oeste, y se calmó espectacularmente durante la noche. El caso contrario es el de otra madre que cambió la orientación de la cama de su hijo adolescente hacia el este, porque era imposible hacer que se levantara por la mañana, y desde entonces no ha vuelto a perder el autocar del colegio.

EJERCICIO DE CONTEMPLACIÓN

El dormitorio es el lugar donde te sumerges en lo profundo: en el soñar y en los sueños, en hacer el amor y en la renovación del cuerpo, la mente y el espíritu. Dedica unos momentos a reflexionar sobre los sentimientos que despiertan en ti los dormitorios. Empieza por el recuerdo de tu primer dormitorio y los sentimientos que asocias a esos recuerdos. Luego, recuerda uno a uno todos los dormitorios que has tenido en tu vida. Escribe lo que te gustaba y lo que te desagradaba de cada uno de ellos, como el tamaño, el juego de luces, los colores, la situación de la cama, la ropa de cama, los armarios, las puertas, los muebles y los objetos decorativos. Observa también los sentimientos asociados a cada habitación. Anota en tu lista los recuerdos y sentimientos más cálidos y positivos e introdúcelos en el diseño de tu dormitorio actual. Si compartes la habitación con otra persona, pídele que haga lo mismo y combinad las ideas.

Nota: Puedes hacer este ejercicio con cualquier habitación de la casa.

Las suites

He tenido ocasión de trabajar con muchas parejas y con frecuencia observo la exactitud con la que su dormitorio refleja su relación. El cincuenta por ciento de los matrimonios norteamericanos acaban en divorcio, y ahora que he visto un variado surtido de suites matrimoniales comprendo la razón. Las nuevas parejas suponen con optimismo que la fuerza de su relación durará toda la vida. No obstante, debido al desgaste diario de la vida occidental, a menudo experimentan una disminución de la libido. Muchas parejas no se dan cuenta de que el entorno puede reforzar y nutrir o apagar y debilitar su intimidad. Normalmente no suelen darle importancia al dormitorio, en la creencia de que no influye en su relación. Pero, al igual que la gota de agua que cae sobre una piedra, los dormitorios cumplen su función dejando huella, para bien o para mal, poco a poco, noche tras noche, a través de la enfermedad y la salud, hasta la muerte... o el divorcio. Cuanto más activo y «alocado» sea el estilo de vida de una pareja, más importante es que tengan un dormitorio-santuario íntimo y atractivo en el que puedan descansar, rejuvenecerse y comunicarse.

Fomentar la intimidad: Las parejas pueden fomentar su intimidad de muchas formas. Los libros y los artículos de revistas ofrecen innumerables sugerencias sobre cómo encontrar y conservar una relación amorosa. El Feng Shui aporta una postura de ventaja única al tratar los aspectos sutiles (y no tan sutiles) que conlleva arreglar el dormitorio. Además de las sugerencias de las páginas anteriores para los dormitorios, las parejas pueden nutrir y fomentar su intimidad creando unos vínculos muy especiales en los tejidos de su dormitorio.

Una pareja de recién casados recibió como regalo de boda una consulta de Feng Shui. Descubrí que su dormitorio ofrecía muchos desafíos. El lado de la cama donde dormía la esposa daba directamente al inodoro y al lavabo del cuarto de baño. El lado que correspondía al marido estaba colapsado con el cesto de la ropa sucia y una bicicleta estática. Ninguno de los dos lados tenía mesita de noche ni lámpara. Toda la habitación era blanca, con ropa de cama de algodón azul. La luz irrumpía (y el chi salía) a través de una enorme ventana sin cortinas. No era acogedora ni había sensualidad. Les recomendé muchas de las ideas que he expuesto en este capítulo: pintar las paredes en tonos cálidos y atractivos; escoger ropa de cama de colores agradables y texturas sensuales; poner un biombo o una cortina delante de la puerta del cuarto de baño; comprar mesillas de noche y lamparitas; poner cortinas; introducir algún cuadro o escultura y poner en otro sitio el cesto de la ropa sucia. Esto era prioritario para convertir el dormitorio en un lugar íntimo y relajante. A fin de aumentar la personalidad sensual de la estancia, les sugerí que encendieran velas y escucharan música suave. En ese momento de la conversación, la esposa exclamó: «¡Ahora ya sé lo que le ha sucedido a nuestra vida sexual!».

Más grande no siempre significa mejor: En el Feng Shui hay un refrán que dice que cuanto más grande es el dormitorio de matrimonio, más alta es la probabilidad de divorcio. Esto surge del hecho de que suele ser difícil convertir una gran suite multiuso en un nido íntimo y acogedor. El Feng Shui ha observado que las personas nos sentimos más a gusto en entornos que no sean ni demasiado grandes (yang) ni demasiado pequeños (yin). Las grandes habitaciones yang necesitan rasgos yin, como telas de colores y agradables texturas, doseles, áreas con alfombras y drapeados, así como zonas acogedoras y pequeñas definidas dentro de la suite. Se puede incluir una cama con dosel en una zona —especialmente eficaz cuando el techo es alto— y un rincón privado para leer y relajarse como una segunda área reducida. Los biombos, las plantas, los muebles y las alfombras se pueden distribuir para marcar estas áreas más pequeñas e íntimas.

Aun cuando la habitación sea grande, procura realizar actividades como trabajar o hacer gimnasia en otro lugar de la casa, o diferenciar bien la zona donde las realices con algún tipo de separación de ambientes para que no se vea desde la cama. A veces, como en la historia de «Persigue tu dicha» de la página 221, es mejor convertir una gran suite en un estudio o despacho. En ese caso, la abundancia de espacio puede ser más apropiada para tareas activas y creativas, mientras que una habitación más pequeña se presta más a ser un oasis para una pareja. No subestimes tu instintiva necesidad de intimidad, recogimiento, bienestar y seguridad. Sea del tamaño que sea tu dormitorio de matrimonio, estas necesidades siempre existen.

Fomenta la intimidad: Los momentos de intimidad sin niños ni teléfonos pueden ser difíciles de encontrar en el trepidante estilo de vida de las parejas actuales. Pero es necesario mantener el contacto íntimo con la pareja. Cada pareja ha de decidir cómo reivindicar estos momentos de intimidad, y cuando los consiga, ha de cerciorarse de que la disposición del dormitorio los favorece. Muchas parejas descubren una nueva intimidad, por ejemplo, tras alejar de la cama fotos de los hijos, padres o amigos.

Una pareja tenía 25 fotos de sus cuatro hijas «mirándolos» en la cama. Rara vez hacían el amor, y cuando lo hacían, siempre era a oscuras o bajo las sábanas ¡para que sus hijas no los vieran! Pusieron las fotos en la sala de estar, donde reinaban sobre las actividades familiares en lugar de hacerlo sobre la vida íntima de sus padres. A raíz de ello, la vida amorosa de la pareja mejoró notablemente.

Esto mismo sucede con las figuras o el arte religiosos. Por significativos que sean, pueden afectar al estado de ánimo que transmite el dormitorio. Unos clientes tenían en su dormitorio de matrimonio un gran cuadro de la Virgen María con el niño Jesús que dominaba la estancia. Ambas figuras miraban directamente a la cama. Aunque eran muy religiosos, ambos se relajaron y gozaron de una renovada intimidad cuando trasladaron el cuadro al santuario de la esposa.

Fomenta la igualdad y la unidad: La presencia de mesillas de noche y el espacio asignado a cada lado de la cama, indican igualdad o ausencia de la misma en la relación de una pareja. He oído decir a muchas mujeres que sólo hay sitio para una mesilla de noche, y en tales casos esta siempre se encuentra en el lado del marido. Mientras me hablan, observo que la mesita es el doble de grande de lo necesario. Cambiar esta situación tiende a cambiar la dinámica entre esposo y esposa, así como el flujo de chi en la habitación. También puede herir susceptibilidades. Simbólicamente, donde antes había gobernado uno, ahora las dos personas y los dos espacios son iguales. Una mesilla de noche y una lámpara en cada lado de la cama, así como tener suficiente espacio para entrar y salir, es lo

Figura 11O

Esta pareja tiene una vista muy desagradable desde la cama. Él tiene delante el inodoro y ella un siniestro cuadro.

Figura 11P

La vista de la pareja ha mejorado notablemente y está unificada con un cartel romántico. Las sábanas de franela color magenta, las flores naturales, una vela y un muelle en la puerta del cuarto de baño para mantenerla cerrada crean una atmósfera más cálida e íntima.

ideal. Cuando el espacio está limitado, ambos cónyuges han de trepar por los muebles que están al lado de la cama para acceder a ella.

Fomenta puntos de vista positivos: Las parejas que comparten los mismos puntos de vista positivos desde la cama también suelen compartir puntos de vista positivos en la vida. Y a la inversa: es alarmante ver lo que les sucede a las parejas que tienen puntos de vista diferentes o desagradables desde la cama.

Una pareja tenía vistas especialmente desagradables desde la cama. La figura 11O muestra la vista que tenía el hombre, el inodoro, mientras que la mujer miraba directamente un cartel gráficamente violento que le habían regalado a su marido en el trabajo. Además, dormían en sábanas de un color azul gélido. Él estaba deprimido y ella casi siempre nerviosa y susceptible. Y la adorable conexión que habían tenido se había desvanecido por completo.

Cuando se dieron cuenta del significado de su visión desde la cama, colocaron un muelle suave en la puerta del cuarto de baño para que siempre estuviera cerrada y sustituyeron el terrorífico cartel por una litografía de Gustav Klimt, «El beso», como vemos en la figura 11P. Pusieron una mesita con una vela aromática y un jarrón con flores naturales. También cambiaron las sábanas de color azul por otras de franela color magenta con un edredón a juego. Casi inmediatamente notaron un cambio positivo en su estado de ánimo y en su interés mutuo; la chispa que había habido entre ellos tenía de nuevo espacio para volver a despertar. Mi parte favorita de esta historia es que antes de que realzaran el dormitorio ambos llevaban pijama de franela. Tras haber realizado los cambios, descubrieron que la cama era lo bastante cálida para dormir sin pijama…

Lo que se ve desde la cama representa la unidad y la conexión —o la falta de las mismas— que experimenta una pareja. Cuando desde la cama se pueden ver los cuartos de baño o los armarios, corre la cortina o cierra la puerta antes de meterte en la cama. Concéntrate en unificar y embellecer tu vista desde la cama, como hizo esta pareja, y disfruta de los resultados.

Fomenta la sensualidad: Aunque todas las habitaciones de la casa han de complacer a los sentidos, el dormitorio de matrimonio es el lugar que más sensualidad debe irradiar. Conviértelo en un lugar de sonidos relajantes, olores cálidos, arte agradable, tejidos acogedores y suaves, fragancias favoritas y experiencias deliciosas. Es el lugar para que tu pareja y tú os relajéis y gocéis de una atmósfera sensual.

Hasta las personas con mejores intenciones pueden dar un giro equivocado y aparcar la sensualidad. Trabajé para una pareja que había decidido crear un ambiente monocromático en su dormitorio decorándolo todo en un tono gris verdoso. Esto incluía la moqueta, el revestimiento de la pared, las cortinas para las ventanas, la tapicería y las sábanas. Realizaron los cambios en un período de seis meses, y cada vez que llevaban a cabo una modificación, su relación se enfriaba un poco más. Cuando terminaron las reformas, la mujer hacía tiempo que se había trasladado a la habitación de invitados.

Hablamos largo y tendido sobre su elección del color. A ambos les había gustado un dormitorio en ese color que habían visto en una foto de una revista, pero, cuando pensaron en ello, se dieron cuenta de que el color no era cálido ni sensual. Cuanto más iba dominando el color en la habitación, menos calidez y sensualidad había en ella... y entre ellos. De hecho, solían estar enfadados, «hartos» el uno del otro, y hacía meses que duraba esa situación. Les pregunté qué colores les parecían sensuales. Ambos respondieron inmediatamente: «¡El rosa!». La mujer miró a su esposo y le preguntó, sorprendida: «¿A ti te gusta el rosa?». En ese momento, la palidez desapareció y conectaron con una gran carcajada. No es necesario decir que introdujeron el rosa y otros colores cálidos en su dormitorio gris verdoso, y cuando hubieron restaurado el equilibrio sensual del mismo, también restablecieron su relación.

<u>Fomenta la paz y la tranquilidad:</u> Tal como vemos en la figura 11M, es aconsejable colocar el televisor del dormitorio dentro de un armario con puertas. No obstante, lo mejor sería trasladarlo a otra habitación. He oído muchos lamentos de personas que habían puesto un televisor en el dormitorio: las oportunidades de hacer el amor habían desaparecido.

Las habitaciones de los niños

La mayoría de las habitaciones de niños que he visto brillan como el neón y están abarrotadas. No me extraña que los padres digan que sus hijos nunca están quietos. En casi todos los casos, el niño sufre una sobreexcitación a causa del decorado de la habitación. El Feng Shui observa una relación directa entre la hiperactividad de nuestros niños y la decoración de sus dormitorios. Cuando realmente piensas en ello, ¿podrías relajarte en un dormitorio sobrecargado de juguetes, decorado con colores básicos brillantes y figuras de acción abalanzándose por todas las superficies? Es una habitación que está siempre despierta y activa. En lugar de ello, hemos de arropar a nuestros hijos en el tranquilo abrazo de un dormitorio acogedor y sereno que los exhorte a tranquilizarse y a hallar el descanso que necesitan.

Colores con los que dormir: Al elegir los colores para el dormitorio de un niño, utiliza la misma paleta, descrita en la página 199, que para el resto de los dormitorios. Sustituye los colores brillantes básicos, como el rojo de coche de bomberos, el azul cobalto y el amarillo brillante, por tonos pastel o color lavanda, melocotón, crema y coco. Cambia los cuadros y los objetos decorativos que reflejen una actividad incesante por motivos tranquilos y relajantes. Introduce cosas que favorezcan la autoestima y que se renueven con frecuencia, como un tablón para exponer las últimas creaciones o cuadros con marcos fáciles de quitar para ir poniendo la obra artística del momento. La serenidad es la clave en esta estancia. Cuando calmes el dormitorio, también calmarás al niño.

Pertenencias con las que dormir: Es bastante frecuente que los dormitorios de los niños estén sobrecargados de juguetes, juegos, equipos y colecciones. Todo objeto que habla de actividad contribuye a mantener «despierta» la habitación. Despliega una selección de juguetes acogedores, como animales de peluche y muñecos, y guarda los juguetes de acción fuera de la vista, en baúles y armarios.

A los niños enseguida se les queda pequeña la ropa, y los juguetes y sus intereses cambian rápidamente, de modo que tener sus pertenencias al día es una tarea constante. Enseña a tus hijos que, cuando se deshacen de las cosas que ya no les gustan, dejan sitio para las cosas nuevas que realmente les interesan en esos momentos.

Las fotos familiares, los espejos y los animales de compañía: Al contrario que en el dormitorio de matrimonio, el dormitorio de un niño es un buen lugar para poner fotos de la familia cerca de la cama. Las fotografías de los padres y de otros familiares transmiten amor y seguridad. Los niños suelen ser muy sensibles a la influencia activadora de los espejos, de modo que tápalos con una cortina, cúbrelos o sácalos de su dormitorio, como en las figuras 4N y 4O de las páginas 112 y 113, especialmente cuando los niños no duermen bien.

Los animales de compañía que viven en el dormitorio de un niño, como hámsteres, lagartijas, tortugas y peces, han de ser revisados con regularidad. No es extraño ver acuarios sucios y hámsteres muriéndose de hambre en el dormitorio de un niño que ha prometido encargarse de ellos. Esto no sólo es cruel para el animal, sino que agota la energía de la casa. Vigila los animales de tus hijos, aunque se hayan responsabilizado ellos de cuidarlos.

Hermanos o hermanas como compañeros de habitación: Cuando los niños comparten dormitorio, proporciona a cada uno de ellos un espacio individual que puedan considerar su refugio. Puede que sea la mitad de la habitación, una mesa y una silla, un baúl para juguetes, un armario o una cómoda. Esto hace que cada niño defina su individualidad y aprenda a respetar el espacio de los demás.

Las literas se pueden usar siempre que los niños se sientan bien en ellas. Lo que un día es un refugio encantador para un niño, puede cambiar —aparentemente de la mañana a la noche— y convertirse en una caja claustrofóbica cuando este crece. Observa el crecimiento de tus hijos y que las literas no se les queden pequeñas, y reorganiza el dormitorio convenientemente.

Los dormitorios de los niños y el mapa bagua: He observado que a la mayoría de los niños, incluidos los adolescentes, realmente les gusta el Feng Shui. Les encanta la idea del mapa bagua (capítulo 2) y suelen utilizarlo para realzar su territorio personal en el dormitorio. La hija de 12 años de una clienta «fengshuizó» su dormitorio arreglando el armario, poniendo la hucha cerdito en la zona de la riqueza y la prosperidad y dando los juguetes que ya no le interesaban. Inmediatamente atrajo nuevas oportunidades a su vida, entre ellas varias ofertas de trabajo cuidando animales en el vecindario. Estaba entusiasmada por tener la oportunidad de cuidar a los animales de sus vecinos, demostrar su responsabilidad y ganar algún dinero. Como tan a menudo hemos observado en el Feng Shui, esto repercutió en atraer más bonanza a su vida, incluyendo el orgullo y el aprecio de sus padres y vecinos, y más trabajos divertidos.

Para los adolescentes, el mapa bagua son las «coordenadas» que les enseñan a organizar su dormitorio para obtener resultados positivos en su vida. Una de mis clientas me llamó casi llorando porque su hija de 16 años había limpiado por primera vez su habitación. ¿Por qué? Quería tra-

Figura 11Q

Este dormitorio, aunque bonito, propicia que su dueña siga siendo soltera. El caballo solitario está siempre cabalgando hacia afuera en la zona del amor y el matrimonio de la habitación. La muñeca y los delicados cojines «protegen» la cama y sugieren que ya está ocupada. El osito de peluche de la silla, la estatua de una mujer solitaria sobre el tocador, una única mesita de noche y la lámpara representan la soledad. La cortina de gasa blanca sugiere que se necesitan vendas para tapar las heridas producidas por antiguos romances.

Figura 11R

Ahora, el dormitorio invita al romance. Se han eliminado los delicados cojines, la muñeca, el osito de peluche, la estatua y la cortina de gasa. Se han añadido velas, flores, una segunda mesita de noche y una lámpara, ropa de cama de color rojo intenso y una alfombra más grande. Lo mejor de todo es que ahora la zona del amor y el matrimonio está realzada con una estatua sensual de Ert'e.

zar las coordenadas, y limpiar era el primer paso. Reorganizó su habitación, poniendo los libros de estudio en la zona del saber y la cultura y las cosas para hacer trabajos artísticos en la zona de la creatividad y los hijos. Su madre dijo que la actitud de su hija había mejorado, así como sus notas y vida social.

Las habitaciones de los solteros

Poner en práctica las sugerencias que hemos mencionado anteriormente te ayudará a preparar tu dormitorio para un amante. Sin embargo, la experiencia me ha enseñado que, a veces, los hombres y las mujeres solteros decoran sus dormitorios para mantener su soltería. Si «vas a la caza», asegúrate de que tu dormitorio concuerda con tus intenciones.

Mujeres solteras. Prepararse para recibir al amor: Prepara tu dormitorio para atraer a tu nuevo amante. Invita al romance a entrar en tu vida preparando tu dormitorio para dos. Pon mesillas de noche y lámparas a ambos lados de la cama y procura que haya suficiente espacio para acceder a la misma por ambos lados sin tener que chocar contra los muebles..., aunque esta noche estés sola.

Tal como sucede en otras habitaciones, el exceso de cojines puede suponer demasiado de algo bueno. Las almohadas y cojines se han de quitar uno a uno antes de meterse en la cama, por lo que suponen más una barrera que una invitación al romance. A la mayoría de los hombres no les gustan los cojines delicados, ya que los ven como pequeñas cursilerías que requieren un trato especial. Un cojín que no puedes lanzar o ponértelo debajo de la cabeza suele ser considerado un estorbo. Un par de cojines de adorno que no sean muy delicados es suficiente.

Retira las muñecas y los «guardianes» de peluche de la cama. Estos guardianes de la cama roban simbólicamente el espacio de tu amante y se pueden interpretar como muestras de inmadurez o inaccesibilidad sentimental. Sea cual sea el mensaje, dificultan la espontaneidad pasional. Así mismo, quita de tu habitación las fotos de los antiguos amantes. Actúa como si tu amante ya hubiera entrado en tu vida diseñando un dormitorio atractivo y accesible, una cama sensual de la que dos personas puedan disfrutar sin tener que preocuparse de nada.

Las esculturas y los cuadros con representaciones de personas u objetos solitarios, como una sola flor, una mujer sola o un animal solitario, afirman constantemente la soledad. En la figura 11Q tenemos un buen ejemplo de esto. Pon obras que tengan parejas. He trabajado para muchas mujeres que, sin saberlo, seguían manteniendo su soltería por tener la casa llena de cuadros u otros objetos artísticos que representaban a un sujeto solitario, con frecuencia una mujer con mirada solitaria, distante, enfadada o triste. Una clienta tenía más de 20 carteles enmarcados y postales de mujeres solitarias en las paredes de su dormitorio. Todas las noches dormía sola con veinte compañeras solitarias. Cuando desees atraer el romance, cambia las figuras solitarias por parejas (como en las figuras 11R y 11S) inspiradoras: humanas, de animales, de flores, de árboles... También puedes agrupar pares de tus artículos favoritos —candelabros, jarrones, estatuillas, flores y libros— por toda la casa, especialmente en la

Figura 11S
*La escultura de Ert'e aporta un
aire romántico al dormitorio.*

zona del amor y el matrimonio (véase el mapa bagua, capítulo 2) de tu casa y de tu dormitorio, para dar fuerza a tu deseo e intención de tener una relación sentimental.

Soltera o casada, el paso más importante que puedes dar es tener un romance contigo misma. Crea una atmósfera entrañable en tu dormitorio con velas aromáticas o aceites perfumados, música que te relaje, colores y tejidos que hagan que te derritas. Refuerza tu carisma abriéndote totalmente tu corazón, con la certeza de que en el momento oportuno aparecerá el amante adecuado. Crea tu capacidad para amar y ser amada amándote a ti misma ahora. Repite esta afirmación: *«Amo, honro y celebro mi vida, ahora y siempre. Mis pensamientos, palabras y acciones amorosas aumentan mi magnetismo y refuerzan el latido de júbilo y felicidad que hay en mi interior».*

<u>**Hombres solteros:**</u> Los dormitorios de los hombres solteros suelen ser «estaciones de mando» donde la cama está apiñada entre otros artículos funcionales, como escritorios, ordenadores, archivadores, televisores, equipos de alta fidelidad y aparatos de musculación. Las amantes no hacen cola a la puerta de semejante dormitorio. Trabajé para un hombre sol-

Figura 11T

Este dormitorio de un hombre soltero presenta muchos retos para el Feng Shui: la situación de la cama, los aparatos de musculación, un cuadro de un hombre solitario al lado de la cama, una lámpara y una sola mesita de noche, una planta «devoradora de parejas» y desorden general. El gran cuadro en tonos claros de Richard Haeger se pierde en una habitación blanca dominada por el elemento metal.

tero cuyo dormitorio era tan caótico y estaba tan abarrotado de muebles, cajas y aparatos que me costó unos minutos encontrar la cama. Se preguntaba por qué hacía tanto tiempo que no tenía ninguna amiga. Lo cierto es que lo más normal es que cualquier mujer saliera corriendo al ver aquella habitación.

Para atraer y conservar a una amante, la cama ha de dominar el dormitorio. Siempre que sea posible, coloca el escritorio, los aparatos de musculación, el televisor y el ordenador en otra habitación o tápalos con un biombo para que no se vean desde la cama cuando no los estés usando. El arte estético, la ropa de cama sensual y los colores cálidos han de decir: «Ven aquí y siéntete como en tu casa».

Esta era la meta de un hombre que estaba dispuesto a cambiar su estado civil. La figura 11T muestra su dormitorio antes de los cambios. La cama estaba debajo de la ventana, el aparato de musculación cogoberna-

Figura 11U

Los cambios consistieron en trasladar la cama a una pared sin ventana, poner un cuadro de colores vivos de Sally Pierce, alfombras rojas, una segunda mesita de noche y otra lámpara de sobremesa. Una lujosa colcha hace más cálida la cama, mientras que una vela roja, una mesa de Charles Thomas y una escultura de Karin Swildens realzan la zona del amor y el matrimonio. Una nueva palmera más apropiada realza la zona de la riqueza y la prosperidad.

ba la estancia a la vez que servía de toallero, la silla para leer estaba enterrada bajo montones de ropa. En su única mesilla de noche había un cuadro de un hombre solo al que parecía que la suerte hubiera abandonado, mientras que el otro lado de la cama estaba ocupado por una palmera gigante. Las sábanas, las paredes y el cuadro blancos, junto a su aparato de musculación de metal, hacían que la habitación estuviera bajo el dominio del elemento metal. Curiosamente, era una persona muy mental y no había tenido un romance en mucho tiempo.

Trasladó la cama a una pared sin ventana y cambió el gran cuadro blanco por otro de más colorido y más ligero que aportara los elementos fuego y madera, como puede verse en la figura 11U. Quitó la gran palmera, puso varias alfombras en tonos granates y compró dos lámparas cuya pantalla imitaba el dibujo de la piel del leopardo para las mesillas de noche. Invirtió en ropa de cama y otros accesorios para su refugio romántico. La mesa, la escultura y la vela complementan la zona del amor y el matrimonio, a la par que una nueva palmera del tamaño adecuado realza la zona de la riqueza y la prosperidad. De la frialdad y el desorden a la calidez y la invitación, el dormitorio de este hombre representaba su vida amorosa. A las pocas semanas de haber acabado las reformas de su dormitorio, floreció una amistad que prometía convertirse en un romance con una mujer a quien hacía años que conocía.

Deja atrás el pasado y deléitate en el presente: A los amantes les gustan las sábanas lujosas. Utiliza sábanas sensuales para causar una buena impresión. La ropa de cama trillada, de colores que desentonan o marcada con la huella del pasado no te ayudará a conseguir a tu amante. Últimamente, trabajé para un hombre que todavía estaba usando la ropa de cama que había comprado su ex mujer durante su matrimonio hacía más de una década. Después de tantos años de uso, estaba bastante gastada. Además, rompía todas las reglas del Feng Shui, al tener mezcla de poliéster y ser de color azul marino desteñido. Su estado era una señal para cualquier mujer receptiva de que el matrimonio de este hombre todavía estaba presente en su dormitorio y, por consiguiente, en él.

Cuando le pregunté qué recuerdos asociaba a las sábanas, de pronto se le hizo la luz. Desde pequeño había aprendido a guardar las cosas hasta que estuvieran totalmente desgastadas. Se sintió afortunado cuando su mujer le dejó las sábanas. Ahora se daba cuenta de que su incapacidad para dejar atrás el pasado y atraer nuevas relaciones amorosas estaba envuelta en sus sábanas. Era el momento de deshacerse del pasado y decorar su habitación de modo que expresara sus propios gustos.

Eligió sábanas y cubrecamas de algodón egipcio de alta calidad en color bronce y oro pulido. Como complemento, amplió y enmarcó varias fotografías de las sinuosas colinas de California envueltas en la luz dorada del atardecer. El efecto en su dormitorio y en su vida amorosa fue maravilloso. Ha conocido y sale con varias mujeres muy atractivas. Pero lo mejor de todo es que ha descubierto lo mucho que disfruta de su propia compañía.

El arte que atrae amantes: Para atraer a una nueva amante a tu vida, retira de tu dormitorio los carteles que no estén enmarcados, las páginas centrales de las revistas o el arte violento. Las amantes casi nunca lo aprecian; por el contrario, tienden a salir corriendo. Crea ambiente introduciendo elementos artísticos que sugieran sensualidad y serenidad. Puede ser un paisaje donde las curvas de las colinas sugieran caderas u hombros, o un paisaje acuático donde los barcos transmitan placer y relajación. Las esculturas sensuales, una colección de velas, flores frescas y plantas sanas también pueden crear una atmósfera romántica y acogedora. No pasarán desapercibidas y serán apreciadas.

Las habitaciones de invitados

Una habitación de invitados es un lujo que sólo se halla presente en algunas casas. Cuando tengas una habitación para dedicarla a los invitados, procura que tenga la misma categoría que las del resto de la casa. Deja la puerta abierta y diséñala de modo que te guste cada vez que la veas. No dejes que se convierta en un caótico almacén de trastos, puesto que afectaría negativamente al flujo de chi de tu casa.

Introduce en la habitación de invitados los mismos elementos serenos y cómodos que tienes en tu dormitorio. Deja suficiente espacio en el armario y en los cajones para que puedan poner sus cosas. Reserva un lugar para guardar una o dos maletas y su contenido. Incluye los pequeños detalles que te gustaría encontrar como invitado, como un batín cálido y artículos de baño aromáticos. Los invitados felices aumentan la energía de tu hogar. Dota tu habitación de invitados de una personalidad que invite a tus visitantes a relajarse y disfrutar de su estancia.

El cuarto de invitados es una de las habitaciones de la casa que resulta más fácil reclamar para otras necesidades e intereses. Se puede rediseñar para ser un despacho (capítulo 10), un gimnasio o un santuario (capítulo 12). No comprometas tu propio rendimiento profesional o tus necesidades personales de todo el año cuando puedas usar una habitación que sólo utilizan los invitados esporádicamente. Si la arreglas para otro fin, puedes seguir dedicando un lugar para que duerman los invitados, como una cama armario, un sofá cama, una cama plegable o un futón.

Invita al éxito a que sea tu huésped: Los cambios positivos pueden tener lugar cuando evalúas tus necesidades especiales a través de tus ojos

Feng Shui. En una ocasión, dos hombres que vivían juntos compartían un despacho en casa. Los dos se sentían apretados en un espacio que no ofrecía intimidad visual ni auditiva y se dieron cuenta de que eso era el principio del deterioro de su relación. Entretanto, al otro lado del salón había una habitación de invitados que pasaba desapercibida.

A ninguno de los dos se le había ocurrido reclamar esa habitación como un segundo despacho hasta que celebramos la entrevista. Las familias de ambos hombres iban de vez en cuando a visitarlos, y por eso habían dado por hecho que necesitaban reservar una habitación exclusivamente para invitados. Sin embargo, era el momento de sopesar si su trabajo tenía prioridad sobre el lujo de dedicar una habitación para invitados que permanecía la mayor parte del tiempo desocupada. Pronto vieron que la congestión crónica de la otra habitación se aligeraba al transformar la habitación de invitados en un segundo despacho. Cada uno ocupó una habitación y se expandieron. Compraron un futón para los invitados, que colocaron en uno de los despachos, y un gran sillón para leer que se convertía en una cama individual y que colocaron en el otro.

Apenas habían colocado los teléfonos cuando sus respectivas carreras recibieron un fuerte impulso. Tuvieron suficiente espacio para crecer y desarrollar sus negocios y se notó. Al cabo de poco más de un año, experimentaron más éxito y felicidad que nunca.

DIRECTRICES RÁPIDAS PARA LOS DORMITORIOS

- Coloca la cama de modo que puedas ver la puerta.
- Traslada el escritorio y los aparatos de musculación a otra habitación o tápalos con un biombo.
- Si tienes un televisor en el dormitorio, ponlo dentro de un armario con puertas.
- Tapa los espejos durante la noche o retíralos de la habitación.
- Compra ropa de cama de tejidos naturales y sensuales.
- Elige tonos suaves y colores cálidos y vivos.
- Crea una vista agradable desde la cama.
- Introduce arte sensual y sereno.
- Honra a los cinco sentidos.
- Aplica el mapa bagua e introduce los cinco elementos.

12

El santuario:
La habitación para el espíritu

Si queremos reforzar nuestras relaciones, carrera, familia y pasiones, hemos de interiorizarnos durante breves momentos para cuidar de nosotros mismos...

CHRIS CASSON MADDEN

El santuario es una habitación dedicada a la exploración de tus pasiones e intereses. Puede ser un lugar de silencio y de paz, dedicado a practicar yoga, sanación, escritura, meditación, o también puede ser un estudio de arte o de baile. Aunque no se suele incluir en el plano típico de una casa, casi cualquier habitación o espacio —incluidos la habitación de invitados, el comedor, el estudio, el dormitorio, el sótano, el desván, el garaje y la biblioteca— se puede convertir en un santuario. En este lugar especial, eres totalmente libre para expresarte tal como eres, ya sea creando arte, tocando música, cantando, bailando, soñando, meditando o escribiendo. Reivindica cualquier habitación que no se use demasiado para utilizarla como santuario y dale una identidad totalmente nueva, una que apoye tu crecimiento y desarrollo personales.

Persigue tu dicha

Cuando una clienta llamada Linda se metió en un grupo de teatro de su barrio, necesitó un lugar en su casa para ensayar. Ella y su marido, Kevin,

Figura 12A

Este santuario está dedicado a la meditación y la sanación. El altar contiene objetos significativos: libros, flores y velas. (Véase un primer plano en la figura 4V, en la página 122.)

Figura 12B

El santuario de la figura 12A conduce a una terraza exterior para meditar, construida en torno a un árbol y adornada con plantas, flores y una geoda de amatista.

tenían una enorme suite y dos dormitorios pequeños, uno que se emplea-
ba como cuarto de invitados y otro como despacho. Linda se dio cuenta
de que no se podía mover con libertad en ninguna de esas dos pequeñas
habitaciones, además de que la acústica era terrible. ¡Necesitaba más espacio! Tras estudiar la situación, decidimos que lo ideal sería transformar
la suite en un santuario-estudio y trasladar su dormitorio a la habitación
de invitados. Kevin aceptó esta idea poco convencional como experimento. Quería asegurarse de que le gustaba el cambio antes de dar su
aprobación definitiva.

   Linda y Kevin descubrieron que funcionaba mucho mejor de lo que
hubieran podido imaginar. Reorganizaron los armarios; ella dejó su ropa en
la suite y arreglaron el armario del despacho para poner la de Kevin. Ahora, Kevin, en lugar de andar de puntillas por la mañana para no despertar a
Linda, tenía su propio vestidor. Por otra parte, la suite ofrecía a Linda el suficiente espacio para moverse, y el gran armario con espejos en las puertas
era perfecto para sus ensayos de baile. Confortablemente acomodados en
su nuevo nido, ya no les despertaba la luz del amanecer al reflejarse en los
espejos del armario. Ambos observaron lo bien que dormían gracias al
cambio. Aunque este arreglo les sorprendió tanto a ellos como a muchos de
sus amigos, satisfizo convenientemente sus necesidades.

Figura 12C
*Una pista de baile y
unos espejos
instalados en un
dormitorio pueden
crear un santuario
para una mujer joven
que se está
especializando en
coreografía.*

FIGURA 12D

Esta habitación combina el despacho con el santuario. El escritorio está situado cerca de la parte frontal de la habitación y se ve la puerta, mientras que el sofá ofrece un lugar para relajarse y leer. Los recuerdos personales de este hombre, entre los que se encuentran algunos de su servicio militar y un tambor que hizo él mismo durante un retiro terapéutico, tienen aquí su lugar.

Reclama tu espacio

He observado que las parejas y familias son más felices cuando todos tienen su espacio o santuario privado. La figura 12D muestra un despacho-santuario casero, donde se pueden esparcir orgullosamente los recuerdos personales en los que los demás miembros de la familia no tienen ningún interés. Cuando cubrimos nuestras necesidades personales de este modo, diseñar la organización de las zonas compartidas suele ser un proceso mucho más sencillo.

DIRECTRICES RÁPIDAS PARA EL SANTUARIO

- Dedícalo a tu crecimiento y desarrollo personales.
- Diséñalo y organízalo para que sea un fiel reflejo de ti.
- Utiliza los cinco elementos y el mapa bagua.

13

Cuartos de baño:
Las aguas purificadoras

El cuarto de baño es un templo para el cuerpo, el lugar donde nos retiramos ritualmente varias veces al día para volver a conectarnos con nuestra naturaleza física: experimentar los ciclos corporales, disfrutar de nuestra piel desnuda, bañarnos lánguidamente en agua caliente o revitalizarnos con una estimulante ducha.

CAROL VENOLIA

Resulta un poco cómico que este capítulo sea el número 13. «Capítulo 13», un sinónimo de bancarrota; me recuerda la popular creencia del Feng Shui de que los cuartos de baño crean problemas económicos. La frase popular «tirar el dinero por el retrete» lo dice todo. Se considera que las cañerías del cuarto de baño drenan literalmente la energía vital y los recursos de una casa. No obstante, si diseñas tus cuartos de baño para que sean agradables y alegres, a la vez que funcionales, esto no tiene por qué ocurrir. Con el Feng Shui puedes equilibrar la energía y hacer que fluya a través de tus cuartos de baño y tus cuentas bancarias.

Tapa los desagües o cierra las puertas

Empieza por tapar los desagües cuando no los uses. Aunque en el caso del inodoro sea especialmente importante debido a su gran abertura, todos los desagües pueden eliminar el chi en cierta medida. Tapa el desagüe del lavabo, de la ducha y de la bañera cuando no los uses o cúbrelos con alfombrillas de goma especiales para estos fines.

Cuando no puedas hacer nada mejor, al menos mantén la puerta del cuarto de baño cerrada. Se puede conseguir fácilmente colocando un muelle suave en la puerta para que se abra sin dificultad y se cierre detrás de ti. Esto también conservará la corriente del chi por el resto de la casa.

Si tu dormitorio tiene un cuarto de baño sin puerta, es esencial que pongas una, o bien una cortina o un biombo para separar visualmente el cuarto de baño del dormitorio, como en las figuras 11H y 11I de la página 195. Además de proporcionar intimidad y serenidad visual, también te asegura el flujo de energía positiva en todas las habitaciones.

Lo ideal es que el inodoro esté situado de modo que no lo veas desde la puerta. Aísla la zona íntima detrás de una pared que llegue hasta el techo o sólo hasta la mitad. Cuando sea imposible, cuelga un cristal redondo tallado del techo entre la puerta y el inodoro, como en la figura 4E de la página 100, para elevar el chi y hacer que circule.

Motivos significativos

¡Haz que todos tus cuartos de baño sean bonitos! Con una mano de pintura, toallas nuevas, velas, arte y plantas, pronto aumentarás el chi. Si un cuarto de baño no tiene luz natural o tiene muy poca, pon una lámpara de poca potencia o una luz de emergencia y manténla casi siempre encendida, como en la figura 13A. Los cuartos de baño pequeños parecen más grandes y acogedores cuando los decoras con papel pintado u objetos decorativos que tengan profundidad. Pon en el cuarto de baño cosas que te guste ver y mantén los mármoles, la zona de la bañera y los armarios ordenados. Entierra a los «soldados muertos»: frascos de champú y de otros productos casi vacíos o caducados.

Cuando tengas que escoger los colores y motivos del cuarto de baño, piensa en los cinco elementos (capítulo 3). Si hablamos en términos de los elementos, en el cuarto de baño predomina el elemento agua y se puede equilibrar añadiendo elementos asociados con la tierra, como tonos amarillos u ocres, artículos de barro y baldosas de cerámica. El elemento fuego, que «crea» y refuerza la tierra, también da calor y luz a través de velas, lámparas, colores rojizos y cuadros de animales o personas. Puesto que el elemento madera «bebe» agua y «alimenta» al fuego, puedes realzar tu cuarto de baño con plantas sanas, flores naturales y cuadros o carteles de jardines, papel pintado y toallas de rayas o motivos florales, objetos de madera y tonos azules y verdes. La figura 4E, en la página 100, es un ejemplo de cuarto de baño pequeño que ha sido compensado con toques de los elementos tierra, fuego y madera. El elemento metal, que se asocia al color blanco, a las piedras y a los objetos metálicos, no se ha resaltado puesto que tiende a retener, y por consiguiente a reforzar, el elemento agua ya dominante. De lo que se trata es de conseguir un equilibrio en lo que era una estancia demasiado acuosa.

El bagua del cuarto de baño

Observa también en qué zona del mapa bagua está situado tu cuarto de baño y diseña el motivo que encaje. La zona de la riqueza y la prosperidad, al igual que cualquier otra zona bagua, puede encontrarse en tu cuarto de baño. Cuando una clienta se dio cuenta de que su zona de la rique-

Figura 13A
Los múltiples elementos para activar el chi que se han empleado en la decoración de este cuarto de baño sin ventana, como el color rojo de las paredes, la planta, el cuadro, las toallas de lujo y la lámpara de poca potencia que está siempre encendida, lo mantienen siempre vivo.

FIGURA 13B
Este cuarto de baño está en la zona del amor y el matrimonio. Una hornacina, flores y una cenefa floral creada por la artista Jacki Powell le dan un aire romántico. Otros realces son las toallas rosa, las lámparas de aceite aromáticas y los aceites de baño.

za y la prosperidad se encontraba en el destartalado cuarto de baño trasero que nunca utilizaba, lo transformó poniendo cortinas de color rojo burdeos en la bañera, cambiando todas las toallas para que hicieran juego con las cortinas y añadiendo accesorios de lujo. Pronto se convirtió en el cuarto de baño más popular de la casa y fluyó más prosperidad que nunca en su hogar.

Puedes hacer que un cuarto de baño situado en la zona de la riqueza y la prosperidad sea opulento; que el que esté en la zona del amor y el matrimonio sea sensual y fragante (como el de la figura 13B); y que uno que esté en la zona de la salud y la familia sea luminoso y alegre con arte y accesorios florales. Con independencia de dónde esté, si tu cuarto de baño es un lugar bonito que tiene su propia personalidad, te garantizará una buena corriente de chi.

EJERCICIO DE CONTEMPLACIÓN

Los cuartos de baño representan la limpieza y el lugar donde se deja lo viejo para hacer sitio a lo nuevo. Asegúrate de que no estás reteniendo actitudes antiguas que evitan que sientas la dicha y la promesa que te ofrece cada momento nuevo. Revisa tus patrones de pensamientos y sentimientos «tóxicos», como el resentimiento, la ira o la impotencia. Luego, cuando te vuelvas a duchar o a bañar, libéralos conscientemente en el agua purificadora. Deja que se vayan por los desagües con el agua jabonosa. Cuando limpies tu cuerpo, puedes incluir la limpieza más profunda de las emociones y los pensamientos tristes o insanos para estar siempre limpio, por fuera y por dentro.

DIRECTRICES RÁPIDAS PARA LOS CUARTOS DE BAÑO

- Tapa todos los desagües cuando no los uses.
- Cuando sea posible, separa el inodoro de la puerta para que no se vea.
- Pon una puerta, cortina o pantalla entre el dormitorio y el cuarto de baño.
- Armoniza los cuartos de baño según los cinco elementos y el mapa bagua.
- Procura que todos tus cuartos de baño sean bonitos y estén ordenados.

14

Cuartos de lavar y planchar y garajes: Diamantes en bruto

Para la mayoría de nosotros, el garaje es un estercolero privado, una especie de bodega gigante donde macerar nuestras discutibles pertenencias.

DON ASLETT

El cuarto de lavar y planchar

En la mayoría de las casas, estos cuartos no son considerados habitaciones y, al igual que los trasteros, garajes y sótanos, suelen estar desordenados, mal iluminados y sin adornos. Puesto que en el Feng Shui todas las habitaciones son consideradas iguales, es importante conseguir que el cuarto de lavar y planchar sea tan agradable como cualquier otra habitación de la casa.

La mejor situación para los cuartos de lavar y planchar es cerca de los dormitorios, donde se genera la ropa sucia. Han de ser lo bastante espaciosos para que haya sitio para los productos de lavar la ropa, la plancha y una tabla de planchar (si es que usas), y quede una zona donde guardar y colgar cosas. Si tu cuarto de lavar y planchar es también un segundo recibidor que se encuentra cerca del garaje o de la puerta trasera, como en la figura 14A, pon símbolos que te gusten para verlos cada vez que entras

Figura 14A
Los brillantes girasoles de este cuarto de lavar y planchar dan la bienvenida a los visitantes que acceden a la casa por el garaje.

o sales de casa. Siempre que puedas, guarda la lavadora y la secadora en un armario o detrás de un biombo o cortina, de modo que no se vean cuando no las estás usando.

Tanto si es un lugar de paso como si no, en el cuarto de lavar y planchar puedes ser tan informal como gustes y poner colores tan vivos como quieras. Revisa el mapa bagua (capítulo 2) para ver en qué zona está situado, así podrás elegir el tema para decorarlo. Pon a la vista cosas que te gusten, pero que no encajarían en otras habitaciones, como carteles de artistas de rock o estrellas del deporte, recuerdos de la universidad o las pinturas de tus hijos hechas con las manos. Puedes pintar la puerta o toda la habitación de un color un tanto estrafalario. También puedes romper la tradición y poner cosas que normalmente no se encontrarían allí. Cualquier cosa que te haga sentir bien activa el chi. Dale vida con un candelabro de cristal, un gran espejo o una cristalería antigua; ordenar y doblar la ropa adquiere un nuevo significado cuando estás rodeado de cosas bonitas o divertidas. Dale al cuarto de lavar y planchar un toque de elegancia y personalidad, para que te haga sonreír cada vez que entras.

El garaje

Figura 14B
Mientras el caos domina en este garaje, los coches quedan relegados a estar en la calle. Este garaje descontrolado representa que los dueños tampoco tienen control sobre su vida.

Figura 14C
Al tomar el control sobre el garaje, entra nueva vitalidad en todos los aspectos de la vida. Tras tirar o dar un montón de cosas, el dueño organizó el resto en las estanterías que ya tenía y volvió a meter los coches dentro. Ahora que ya no hay trastos, las cosas que realmente sirven tienen un lugar. Una silla de director y una foto enmarcada de un tigre blanco dan la bienvenida en la entrada a la casa por el garaje.

FIGURA 14D

Este garaje, que su dueño llama «la habitación del coche», se ha pintado a juego con el resto de la casa y está decorado con armarios, cuadros y flores.

El diseño sencillo e inacabado de la mayoría de los garajes se remonta a una época en que nuestro medio de transporte se guardaba en graneros y establos. Los caballos y los carruajes estaban en un edificio separado de la casa. Colocar el medio de transporte en otro edificio era y todavía sigue siendo una buena idea, ya que así se asegura la buena calidad del aire y una corriente de chi más tranquila por la casa. También es conveniente porque los gases peligrosos y las maniobras con el vehículo quedan lejos de la familia. No obstante, a medida que el terreno sube de precio y miramos más por nuestro bolsillo, no tenemos más remedio que conformarnos con los garajes adosados a la casa. Esto supone algunos retos para el Feng Shui.

Cuando el garaje esté pegado a la casa, deja la puerta del garaje abierta durante unos minutos cuando pongas el coche en marcha para que los gases no entren en la casa. Las habitaciones situadas encima o al lado del garaje están bajo la influencia de su energía transitoria y es mejor utilizarlas para trabajar o para actividades lúdicas, en lugar de para dormir.

Además de la seguridad y la comodidad, es preciso mantener limpio y ordenado el garaje. (Esto también se aplica a un garaje que no esté adosado a la casa, así como a cualquier otro edificio que esté en tu propiedad.) Siempre que estés confundido o te sientas desbordado en el garaje, sabes que es el momento de hacer limpieza y de restablecer el orden. Deja siempre espacio suficiente para maniobrar sin que haya juguetes, equipos deportivos o una pila creciente de objetos en desuso. He estado en garajes donde apenas había sitio para aparcar el coche; abrías la puerta del vehículo y tenías que abrirte paso entre montañas de trastos que obstaculizaban la entrada a la casa. También hay garajes, como el de la figura 14B, donde ya no queda sitio para el coche. Incluso con la puerta cerrada, el caos estanca el chi e inevitablemente produce un impacto negativo en la vida de los propietarios.

Al organizar el garaje, dedica zonas específicas para guardar cosas y para actividades como trasplantar plantas, arreglar motores o hacer trabajos de carpintería. Concédete todos los estantes y recipientes que necesites para organizar el espacio. Tal como vemos en la figura 14C, no tiene por qué estar muy bien decorado, basta con que esté organizado y sepas dónde están las cosas. Si es necesario, alquila un guardamuebles para albergar los artículos que te están robando un precioso espacio y di a tus amigos y parientes que hagan lo mismo. Tu garaje no es su guardamuebles. Por favor, regala, vende o tira las cosas que no necesitas y llevas meses o años guardando. Al deshacerte de las cosas que ya no quieres ni necesitas, revitalizas tu casa y haces sitio para que lo que realmente quieres entre en tu vida.

Además de organizar el garaje, puedes darle una personalidad propia, como en la figura 14D. Cuelga carteles u otras cosas que te gusten, píntalo de tu color favorito, utiliza la moqueta que quitaste de otra habitación para suavizar el suelo, pon mucha luz o transfórmalo en un estudio de arte, una sala de estar o un despacho. Revisa la situación de tu garaje en el mapa bagua (capítulo 2) y elige los elementos decorativos que correspondan a esa área. Cualquier decoración que sea de tu agrado reforzará el flujo de chi de tu casa.

DIRECTRICES RÁPIDAS PARA EL CUARTO DE LAVAR Y PLANCHAR Y EL GARAJE

- Da el mismo trato al cuarto de lavar y planchar y al garaje que a las otras habitaciones de la casa.
- Haz que sean atractivos decorándolos a tu gusto.
- Pon suficientes estanterías y armarios para mantener el orden.
- Evita la tendencia a acumular cosas en esos lugares.

15

Desvanes, sótanos y trasteros:
Un sitio para cada cosa

Es desalentador pensar que un puñado de trastos pueden desviarnos de nuestro futuro, de una vida intensa, plena y llena de éxtasis. ¡Sí, pueden! ¡Es cierto!

DON ASLETT

Para mí, los desvanes y sótanos son sinónimo de oscuridad. Crecí en una casa en la que había desván y sótano y ambos estaban mal iluminados. Recuerdo ir palpando en la oscuridad, buscando el cordoncito de la luz al final de la escalera que conducía al desván. Cuando lo encontraba y tiraba de él, una bombilla desnuda iluminaba pobremente una pequeña zona alrededor de la escalera, dejando el resto de la habitación a oscuras.

El sótano era aún peor. Allí tenía que caminar en la más completa oscuridad hasta la pared del fondo para llegar a los interruptores. Mi imaginación siempre me jugaba malas pasadas mientras me apresuraba entre las tinieblas, y cuando llegaba a los interruptores, mi corazón latía salvajemente. Esto no era un «buen Feng Shui». La iluminación, el símbolo de la seguridad y la comodidad, no existía en aquel desván y aquel sótano oscuros y fantasmagóricos. Entre tanto, en la planta baja, donde estaban las «verdaderas habitaciones», había lámparas iluminando todas las estancias.

El desván y el sótano de mi casa no eran una excepción. En los sótanos, desvanes y trasteros de las casas de todos mis amigos y amigas, tam-

bién reinaban el caos y la oscuridad y eran igualmente peligrosos y terro-
ríficos. Eran vertederos privados donde se podía tirar todo lo que sobra-
ba, lo viejo, los artículos de fuera de temporada y las cosas rotas, sin pen-
sarlo dos veces. La mayoría de las casas estaban presentables hasta que
llegabas a los trasteros. Allí, el tremendo caos que reinaba dificultaba incluso el movimiento, no digamos ya el encontrar alguna cosa.

Ilumina tus pertenencias

Aunque este sea un nuevo concepto en nuestro pensamiento occidental,
las zonas de almacenamiento como los desvanes y sótanos han de ser tra-
tadas como iguales en la familia de habitaciones que constituye el hogar.
Cuando están oscuras y abarrotadas, se convierten en lugares insalubres
que merman la vitalidad de la casa. Ilumina tu trastero del mismo
modo que iluminarías cualquier otra habitación. Es una de las formas más
sencillas de elevar y revitalizar estos espacios. Instala interruptores y luces de emergencia en lugares convenientes, y con toda esa iluminación,
aligera y organiza el espacio, asegurándote de que todo lo que se encuentra allí es necesario o lo quieres por alguna razón. Esto incluye todos los
objetos que empleas en vacaciones, papeles para envolver regalos, muebles, libros, periódicos, herramientas, útiles para trabajos artísticos, papeles y recuerdos. Haz que estos artículos sean fáciles de encontrar etique-
tándolos y guardándolos al alcance de la mano, sin que por ello estén en
medio del paso. Asigna a tus pertenencias —a todas ellas— un buen lugar. Los trasteros se han de sanear y reorganizar al menos una vez al año,
puesto que lo que decidiste guardar el año pasado —desde los formula-
rios de hacienda hasta el perchero de la abuela— puede que ya no sea necesario.
    Cuando organices tus trasteros de forma que resulten agradables y
estén ordenados, tu calidad de vida, incluyendo la creatividad y la paz
mental, mejorará notablemente. Recuerda que tu entorno es un reflejo de
ti mismo y no hay lugar más revelador para observarlo que tus trasteros.

Los mensajeros del trastero

La vida me presentó una maravillosa oportunidad para aprender lo enga-
ñosos que pueden ser los trasteros. Brian y yo vivimos en una propiedad
con dos edificios en la playa. La mayor parte de las estancias se encuentran en la construcción de delante: la sala de estar, el comedor, la cocina
y los dos despachos. Nuestro dormitorio está en la construcción de atrás,
junto a la habitación de invitados y un cuarto trastero. Una noche vimos
las huellas de unas patitas y pronto descubrimos que el trastero se había
convertido en el hogar de varias familias de roedores conocidos como ratones de la fruta noruegos. Aunque eran más pequeños y graciosos que
otros tipos de ratas, estaban ensuciándolo todo y había que eliminarlos.

Antes de que aparecieran, yo estaba convencida de que nuestro trastero estaba bien; quizás un poco desordenado, pero, ¡que caray, somos
personas ocupadas! (¿te resulta familiar?). Teníamos pendiente hacer
limpieza, hasta que los ratoncitos me exigieron que no demorara más el
asunto. Me quedé asombrada al comprobar la cantidad de trastos que habíamos almacenado desde la última vez que lo ordenamos. No me extraña que a los ratones les gustara tanto, ¡el lugar podía ser declarado zona
catastrófica!

Desgraciadamente, los ratones no nos dieron tregua. No esperaron a
que encontráramos un momento conveniente para hacernos cargo de ellos
y del almacén que ahora habitaban. En un solo día, hicieron un agujero en
la pared del trastero y entraron en nuestro dormitorio. Allí, los pillamos a
plena luz del día atiborrándose de Payday y Million Dollar,[2] símbolos caprichosos de riqueza y prosperidad que me habían regalado mis amigos.
Mi llegada supuso un brusco final para su fiesta y salieron corriendo por
encima de la cama para regresar a «su» trastero.

Muy alarmada (y un tanto divertida), me di cuenta de que no podía
prolongar ni un minuto más esa situación. ¡Nos vimos forzados a prestar-
les atención! Lo dejamos todo y vaciamos el trastero para descubrir que
la mayoría de las cosas que teníamos allí (muebles, maletas, ropa, papeles y libros) ya no las necesitábamos. En los siguientes días llenamos dos

---

2. Barritas de golosinas típicas norteamericanas. La traducción literal sería «Día de
Paga» y «Millón de Dólares». *(N. de la T.)*

camionetas de «trastos» y los llevamos a casa de un amigo que iba a organizar una venta de cosas viejas. Reciclamos casi 120 kilos de papel, conseguimos 37 cajas de plástico grandes para organizar las cosas que queríamos guardar, y durante el proceso descubrimos y cerramos la «puerta» por la que entraban los ratones.

El frenesí de limpieza que había comenzado en el almacén se transmitió a las dos casas. Buscamos en todas las habitaciones cosas que ya no pertenecieran a nuestra vida, lo que dio como resultado otras seis cajas de «buen material» para hacer una venta. Una maravillosa sensación de alivio nos inundaba cada vez que ordenábamos una habitación. Rodeados exclusivamente de las cosas que queríamos, eliminamos toda la pesadez del pasado y gozamos de la claridad del presente. Como suele suceder, aparecieron nuevos trabajos y oportunidades en nuestra vida.

Todavía me río cuando pienso en los ratoncitos comiéndose mis dulces, símbolos de riqueza y prosperidad. ¡Fueron una bendición!

DIRECTRICES RÁPIDAS PARA LOS DESVANES, SÓTANOS Y TRASTEROS

- Ilumínalos bien.
- Haz que resulten agradables y estén organizados asignando un sitio a cada cosa.
- Haz limpieza al menos una vez al año.
- Revísalos regularmente para evitar el «caos trepador» y, si se produce, aplícale un tratamiento inmediatamente.

16

Pasillos y escaleras:
Espacios de conexión

A menos que una escalera esté hecha para estar viva, se convertirá en un lugar muerto, desconectará el edificio y destruirá sus procesos.

CHRISTOPHER ALEXANDER

Los pasillos y escaleras conectan las habitaciones y las plantas de nuestras casas y son los pasajes a través de los cuales pasamos nosotros y la energía vital. Sin embargo, en muchas ocasiones tienen unas características extremas y se han de compensar y realzar para canalizar una corriente de chi saludable.

Los pasillos

Los pasillos suelen ser oscuros y lisos. Cuanto más largos y estrechos, más oscuros son y más impulsada se siente la gente a correr a través de ellos. En el Feng Shui queremos conseguir lo contrario, hacer que la gente vaya despacio, a un ritmo saludable. Conseguimos esto haciendo que el pasillo sea agradable y un lugar interesante.

Contempla el pasillo como una «habitación» de cualidades únicas. Por ejemplo, su forma larga y estrecha se presta para ser una galería de arte donde exponer cuadros, fotografías, espejos y otros objetos coleccio-

Figura 16A
Las pinturas que tienen profundidad,
como esta escena natural del artista
Jeff Kahn, abre la pared a través de la
puerta del pasillo.

FIGURA 16B
Las estanterías, la iluminación y el
arte transforman este pasillo en un
lugar atractivo donde la gente puede
disfrutar de muchos objetos
interesantes.

nables. Cada obra actúa como una «ventana», aportando color e interés al corredor. Las luces empotradas y las guías con focos pueden transformar espectacularmente un largo y oscuro espacio en un luminoso salón. Para dar amplitud e iluminar la vista, cuelga espejos o cuadros que tengan profundidad justo delante de las puertas que dan al pasillo, tal como vemos en la figura 16A. A la inversa, el final de un largo pasillo se realza con una pintura que no tenga profundidad, como un bodegón, que decora sin hacer más largo el pasillo.

Cuando el pasillo sea bastante ancho, decóralo con muebles, moquetas, plantas y otros artículos que definan agradablemente el espacio. Un pasillo puede ser el sitio perfecto para una librería; los estantes y los focos hacen que el lugar resulte interesante, como vemos en la figura 16B. ¡No sobrecargues un pasillo para que sea más interesante! Cerciórate de que tus elecciones promueven la circulación del chi en lugar de obstruirla.

Los cristales tallados también se pueden usar para favorecer la circulación y el equilibrio de la energía en los pasillos. Se pueden colgar sin que molesten a unos pocos centímetros del techo, aproximadamente uno cada tres metros. También se pueden usar apliques de cristal para iluminar y proporcionar un realce cristalino.

Las escaleras

Las escaleras suelen verse en el Feng Shui como «cascadas caudalosas» que conducen la energía demasiado deprisa de un piso a otro. Son especialmente conflictivas cuando desembocan directamente en la puerta principal de la casa, precipitando el chi que se supone que ha de nutrir la salud y la buena suerte de los ocupantes hacia abajo y hacia fuera. Aquí la energía vital que entra por la puerta va «contra corriente» y es expulsada hacia afuera antes de tener la oportunidad de recorrer la casa. Dondequiera que estén situadas las escaleras, cuanto más largas y empinadas sean, más necesario será compensarlas. Cuando construyas escaleras, hazlo de modo que no den directamente a las puertas, especialmente a la principal, y diséñalas para que sean anchas y elegantes, con descansillos que modulen el flujo del chi.

Cuando te encuentres con una escalera hecha, coloca objetos atractivos al final de la misma, como una escultura, un biombo, muebles (figura 16C), fuentes o plantas. Procura no abarrotar la zona. Un cristal tallado encima del último peldaño también ayuda a elevar y a hacer circular el chi que cae.

Cuando el espacio es limitado, cuelga directamente un espejo enfrente de la escalera, como en la figura 16C, para cazar simbólicamente la

Figura 16C

El pequeño taquillón define la zona de «aterrizaje», mientras que el espejo de Dan Díaz atrapa el chi descendente y lo mantiene circulando. Ambos realces también son funcionales, puesto que ofrecen a los ocupantes un lugar para guardar las llaves y un reflejo de sí mismos antes de salir de casa.

FIGURA 16D

Las pinturas que tienen la cualidad de elevar el espíritu, como esta de Jack Powell, aumentan y equilibran el chi en el rellano de la escalera.

energía en rápido descenso y proyectarla de nuevo hacia arriba por la escalera. Las pinturas que elevan el espíritu (figura 16D) son otra buena opción. También puedes estabilizar la escalera colgando una tela bonita sobre la barandilla (figura 16F). Al hacer más interesantes y hermosas las escaleras, equilibrarás el flujo de la energía vital por toda la casa.

Figura 16E
*Esta escalera baja desde un pequeño descansillo. Hasta el gato
se lo piensa antes de bajar.*

Figura 16F
*Para compensar la pendiente de la escalera, los dueños colga-
ron cuadros a fin de crear un plano horizontal que contrarresta-
ra la verticalidad de la misma. Se estabilizó el descansillo y se
hizo más acogedor con una tela artesanal y un jarrón con flores. El sillón de abajo se movió un poco para dar a su ocupante
una vista periférica de la puerta y dirigir la energía hacia la
sala de estar. Un cristal tallado cuelga al final de la escalera
para equilibrar la circulación del chi.*

Cuando cuelgas cuadros en orden descendente por la escalera, acentúas su descenso. Utiliza los cuadros para crear una clara línea horizontal, colgando una o más pinturas enmarcadas a la misma altura de la escalera, como en la figura 16F. Esto es parecido a trazar la división entre el cielo y la tierra (página 143). Se recomiendan las pinturas que tienen la cualidad de elevar el espíritu y de alegrar —árboles, pájaros volando y gente riendo o bailando—, así como las que tienen muchas líneas horizontales.

Las escaleras de caracol también son consideradas un reto para el Feng Shui. Su forma de sacacorchos canaliza el chi hacia abajo como si fuera una cañería gigante y la ausencia de contrahuellas lo dispersa en todas direcciones. De ahí que las escaleras de caracol puedan parecer peligrosas, casi como un tornado. Para equilibrar la fuerza de descenso y de salida, resalta el eje central pintándolo de un color diferente del resto de la escalera. Puesto que la escalera de caracol sugiere el movimiento del agua, un buen color para pintar el eje sería el azul o el verde, a fin de reforzar el elemento madera, y para los escalones el ocre, a fin de introducir el elemento tierra. También puedes colocar plantas sanas que crezcan hacia arriba (madera), en macetas de terracota (tierra), alrededor de la base de la escalera.

DIRECTRICES RÁPIDAS PARA PASILLOS Y ESCALERAS

- Procura que los pasillos y escaleras estén abiertos y libres de objetos que obstaculicen el paso.
- Siempre que sea posible, defínelos con pinturas, estanterías, muebles, alfombras y otros adornos.
- Decóralos según su situación en el mapa bagua.
- Utiliza cuadros, espejos y cristales para equilibrar la circulación del chi.

17

Ventanas y puertas:
Los ojos y las bocas de la casa

Descubrimos que las ventanas y las puertas se convierten en lugares especiales que unen el interior con el exterior, lo público con lo privado, en lugares para ceremonias de bienvenida y de despedida. Volvemos a descubrir la singularidad y la infinita variedad de asientos para ventana y umbrales donde los dos mundos se tocan.

THOMAS BENDER

Las ventanas

Las ventanas se consideran los ojos de la casa. Hacen llegar la luz y las vistas a nuestro hogar y su situación y tratamiento es esencial para ajustar la circulación de aire y chi por toda la casa.

Si estamos construyendo nuestra casa, se recomienda no situar las puertas justo delante de una ventana (o puerta), sobre todo de un ventanal con una vista atractiva, ya que tiende a absorber rápidamente la energía de la habitación. Por bella que sea, puede provocar demasiada agitación a las personas que se encuentren en la habitación, que cuando la dejen lo harán «desnutridas». En la situación ideal, nosotros —al igual que el chi— disponemos de unos momentos para adaptarnos y acomodarnos a una habitación antes de ser atraídos hacia el otro lado. Las vistas suelen

Figura 17A
Una escultura sobre un pedestal ayuda a lentificar la corriente de chi y a hacerla circular a través de la puerta principal hacia las ventanas traseras.

Figura 17B
La sencilla incorporación de un cristal tallado en una ventana puede equilibrar la circulación del chi por la habitación.

ser más tentadoras cuando se han de descubrir que cuando son muy evidentes.

Cuando tengas un ventanal y una puerta que queden uno frente a otro, coloca algo atractivo entre ellos, como un acuario, plantas, flores o una escultura, como en la figura 17A. Las cortinas, los muebles, las plan-

FIGURA 17C
Una escultura de jardín y plantas crean una vista inspiradora para contemplar desde una ventana.

FIGURA 17D
Crea vistas acogedoras con detalles estéticos, como este ángel que es una bañera para pájaros y las flores de la estación que pueden verse desde las ventanas del despacho, la cocina, el dormitorio y el cuarto de baño.

tas y los cuadros cerca de las ventanas también ayudan a ralentizar y canalizar algo de la energía que pasa por la habitación. Cuando no haya sitio para estas cosas, cuelga un cristal tallado en la ventana, como vemos en la figura 17B, o a mitad de camino entre la ventana y la puerta.

Comprueba la vista que tienes desde cada ventana (y puerta) de tu casa. ¿Qué ves? Si te gusta lo que ves, ¡estupendo! Si no es así, piensa en lo que puedes hacer para mejorarlo. Si da directamente a la valla, cuelga algún objeto, como una baldosa decorativa de cerámica, planta algo verde y disfruta mirándolo, o bien píntala de algún color bonito. Si lo que ves es un aparcamiento o una calle con tráfico, cierra la parte inferior de la ventana y deja que entre la luz desde arriba, también puedes colgar comederos para pájaros o plantas en flor cerca de la ventana. Realza las vistas con bañeras para pájaros, esculturas y otros «detalles estéticos», como hemos visto en la figura 17C. Crea lugares que sólo puedas ver desde una posición privilegiada en tu ventana, como la bañera para pájaros de la figura 17D. Cuando no sea posible mejorar la vista, o bien por razones de intimidad tengas que cerrar la ventana al anochecer, viste todas tus ventanas con recubrimientos adecuados.

Cuando las ventanas son más pequeñas de lo que te gustaría, coloca un espejo o un cuadro con un cristal reflectante enfrente de la ventana para aumentar la luz natural. Cuelga un cristal tallado en la ventana o cerca de ella para atraer el chi y hacerlo circular.

Las luces empotradas son recomendables para las habitaciones activas, como salones, despachos, salas de estar, cocinas, garajes y cuartos de baño, pero no lo son para estar directamente sobre la cama, el escritorio o la mesa del comedor. Las luces empotradas hacen que el chi fluya hacia arriba, por lo que resulta difícil estar sentado o descansar bajo ellas durante mucho rato. Si tienes una luz empotrada encima de tu mueble favorito, reorganiza la habitación o instala un regulador para graduar la intensidad de la luz a tu gusto.

Al igual que con los espejos, las ventanas grandes de una sola hoja te ofrecen una vista clara y entera. Los vitrales, cuando se emplean para decorar, pueden ser tan historiados como gustes. Todas las ventanas han de estar limpias y en buen uso, incluidas las del garaje, el sótano, el desván y otras que no estén a la vista.

Las puertas

La puerta principal, a la que con frecuencia se hace referencia como la «boca del chi», se considera la abertura más importante a través de la cual entran la energía vital y las oportunidades favorables en la vida. Todas las otras puertas se consideran «bocas» pequeñas por las cuales, al igual que el aire fresco, el chi halla su camino hacia las habitaciones de la casa.

Cuando te construyas una casa o un anexo, planifica hacer una de estas dos cosas: situar las puertas de modo que no estén justo delante de las ventanas u otras puertas, o dejar suficiente espacio para colocar un mueble, un macetero, una isla, una escultura o una pantalla entre ellas. Al igual que con las ventanas, cuando dos puertas están una frente a otra, la energía sale muy rápido de la habitación, a menos que se ralentice su flujo y circulación colocando algo entre ellas. Lo que tratamos de conseguir es que el chi merodee por las habitaciones como una brisa refrescante, en lugar de entrar como una ráfaga de viento.

Ofrece a las puertas que se abren a un espacio reducido, como un distribuidor o un pasillo, una vista que dé amplitud. Esto se puede conseguir con un espejo o con una pintura que tenga profundidad, como hemos visto en la figura 16A de la página 242. Casi todo espacio confinado puede resultar más acogedor e interesante de este modo.

La zona que se encuentra alrededor de las puertas ha de estar bien iluminada. Asegúrate de que todas las luces o los interruptores estén convenientemente situados cerca de las puertas, incluidas las de los pasillos, sótanos y desvanes. Revisa todas las puertas de tu casa y cerciórate de que se abren del todo y sin dificultad. Cualquier cosa que impida la plena apertura de una puerta se ha de cambiar de lugar. Repara las puertas tan pronto como descubras que se quedan enganchadas, que están destartaladas o que necesitan bisagras nuevas o una mano de pintura.

DIRECTRICES RÁPIDAS PARA LAS VENTANAS Y LAS PUERTAS

- Modula el flujo del chi entre ventanas y puertas.
- Embellece las vistas.
- Cubre las ventanas y las puertas para tener más intimidad.
- Elige ventanas de una sola hoja (una sola luz) siempre que sea posible.
- Haz un buen mantenimiento de puertas y ventanas.
- Coloca los interruptores de la luz cerca de las puertas.

18

Purificaciones y bendiciones:
Baña el alma de tu hogar

Que yo goce de paz y bienestar, que mi hogar se llene de amorosa bondad,
que sea un refugio seguro, que yo sea feliz ahora en mi hogar.

JACK KORNFIELD

Primero limpia y purifica

Limpiar la casa no sólo supone limpiarla del desorden y de la suciedad,
sino de la energía estancada e insalubre. Hay momentos en que una habitación parece limpia, pero uno no la siente limpia. Algo pegajoso, rancio
y tenebroso invade la estancia aun después de llevar a cabo la limpieza
habitual. Muchas personas sienten esto en las casas viejas donde han vivido varias generaciones de personas. Otros notan esa sensación de suciedad cuando se trasladan a una casa que, aunque no sea demasiado vie-
ja, ha sido habitada por otros. Algunas personas son lo bastante sensibles
como para sentir los despojos energéticos de una habitación donde ha habido una discusión, ha habitado alguien con problemas emocionales o ha
fallecido alguien. En estos casos es importante limpiar, además de la propia habitación, la energía que esta contiene.

Figura 18A
Se han agrupado estas velas para representar los cinco elementos y limpiar y purificar la energía de la habitación.

Si te trasladas a una casa que ya había sido ocupada, limpia siempre a fondo las moquetas y pinta inmediatamente las paredes. Es una buena manera de eliminar la energía de las personas que vivieron allí antes que tú y de poner tu sello personal en tu «nuevo» hogar. Luego rocía con un pulverizador para limpiar energías todos los zócalos y rincones de la casa, a fin de renovar y activar el chi. Los pulverizadores para limpiar energías contienen aceite de cítricos y se pueden comprar en tiendas donde venden productos de aromaterapia; también te puedes fabricar el tuyo poniendo varias gotas de aceite de naranja o limón en un atomizador lleno de agua (si quieres, puedes añadir otros aceites). Otra fórmula es hervir dos tazas de agua, retirarla del fuego y añadir piel de naranja o limón. Después se deja enfriar la mezcla, se escurren las pieles y se pone el agua en un atomizador.

Así mismo, puedes utilizar el poder de los cinco elementos al hacer la limpieza (capítulo 3). Para tus limpiezas energéticas, puedes reunir todos los elementos y crear una «fuerza» agrupándolos en una disposición tan sencilla o complicada como gustes. La figura 18A muestra una bandeja de velas que combinan todos los elementos con el fin de limpiar las energías de la habitación. Una vela roja (fuego) y pétalos de flores amarillos (tierra y madera) flotando en un bol de plata lleno de agua (metal y agua) es uno de los innumerables ejemplos de una combinación elemental que se puede usar para realizar limpiezas energéticas. Piensa en cómo combinarías los elementos para crear una decoración con objetos que cumplan una función de limpieza energética.

Utiliza esta lista para elegir componentes que representen los elementos con el fin de limpiar una habitación:

Madera:

* Objetos hechos de madera.
* Salvia (quemada como incienso o colocada en agua caliente para esparcir los aceites aromáticos).
* Inciensos naturales de cortezas y flores.
* Aceites esenciales de flores y frutas.
* Pieles de cítricos.
* Flores frescas, pétalos de flores y plantas.
* Ropa de fibras de plantas, como el algodón, el lino y el rayón.
* Objetos azules y verdes o que tengan forma de columna.

Fuego:

* Velas.
* Lámparas eléctricas o de aceite.
* Figuras de personas o animales.
* Objetos hechos con materias procedentes de animales, como el cuero, el hueso y las plumas.
* Ropa hecha de fibras animales, como la lana y la seda.
* Objetos de tonos rojos o de forma triangular.

Tierra:

- Figuras, baldosas y vasijas de cerámica y barro.
- Arcilla o tierra, mejor si es de algún lugar especial.
- Objetos amarillos o de tonos ocre y de forma cuadrada.

Metal:

- Figuras y vasijas de metal.
- Sal y sales de Epsom.[3]
- Cristales naturales.
- Piedras y rocas.
- Objetos blancos, de tonos pastel muy claros y de forma redonda.

Agua:

- Agua pura y limpia y fuentes artificiales.
- Objetos hechos de vidrio o cristal, como jarros, cuencos y candelabros.
- Espejos.
- Objetos de color negro o de tonos muy oscuros y de formas libres.

Distribuye estos artículos por la habitación que estás limpiando hasta que encuentres la combinación que realmente te guste. Si has incluido velas, asegúrate de que ardan durante al menos una hora en un lugar donde no puedan provocar un accidente. Cuando estés satisfecho con tus arreglos, enciende cualquier vela y reafirma tu intención de purificar y equilibrar la habitación, con la certeza de que la disposición de esos objetos dará forma a tus deseos. Deja la vela encendida durante al menos una hora, o más cuando lo considere oportuno; luego quita y tira las cosas perecederas, como el agua y los pétalos de flores. Lava a fondo todos los

---

3. Sales de sulfato de magnesio hidratado que forman pequeños cristales transparentes. Tienen varios usos en la industria y también en farmacia. *(N. de la T.)*

recipientes y limpia los objetos, como figuritas y piedras, poniéndolos al sol durante un día.

En casos excepcionales, cuando sospeches la presencia de espíritus o fenómenos paranormales, necesitarás la experiencia de un especialista en exorcismos. Normalmente, puedes confiar en los cinco elementos y en la fuerza de tu propia intención para transformar tus habitaciones en lugares llenos de luz y buena energía.

Las bendiciones para la casa

Las bendiciones han formado parte de todas las culturas desde el principio de los tiempos, y han dado un sentido espiritual a muchas etapas de nuestra vida. Es importante recordar que lo único que consigues repitiendo las bendiciones o los rituales es cargarlos de significado para ti. Lo que activa las bendiciones y los buenos deseos es tu energía vital y tu plena participación. En esencia, somos bendiciones.

En el Feng Shui, cuando bendices tu casa, estás bendiciendo al ser dinámico que te aloja día tras día. Tu casa merece ser honrada, bendecida y celebrada. Las fiestas de inauguración son una forma popular de bendecir un nuevo hogar, pero, ¿qué viene después? Asegúrate de bendecir regularmente tu casa con tus pensamientos y acciones. Pon tu casa en tu lista de agradecimientos y escribe todas las cosas que te gustan de ella.

Las ceremonias de bendición abundan en todas las religiones y disciplinas espirituales. Elige una que vaya contigo o bien crea una tú mismo. Dale un nombre a tu casa, celebra su cumpleaños y bautízala con agua y oraciones. Invita a tus amigos a que vengan a ayudarte a bendecirla y a celebrar tu hogar dulce hogar. Antes de realizar cualquier bendición oficial, debes limpiarla bien, al igual que te darías un baño antes de una ocasión especial.

Recuerda que en esencia eres una bendición. La calidad de tu vida interior queda directamente reflejada en tu hogar. Por más bendiciones externas que realices, estas no aportarán luz a tu hogar a menos que estés dispuesto a llevarlas en tu interior.

EJERCICIO DE CONTEMPLACIÓN

Conecta con lo más profundo de ti y reivindica el poder de bendecirte a ti mismo y bendecir a los demás. Medita en lo que quieres hacer exactamente para bendecir tu hogar. Puede ser iluminar con velas todas las habitaciones para darles un aire de espiritualidad, reunir a un círculo de amigos para bendecir la casa u organizar una celebración que incluya comida, música y baile. Bendice tu casa, siendo plenamente consciente de que estás bendiciendo toda tu vida.

19

Ejercicios para recargar el chi:
Nutre el chi interior

Siéntete pleno y rebosante de amor. Recuerda que una vez has alcanzado ese estado de amor, nada ni nadie podrá quitarte más energía de la que puedas recuperar.

JAMES REDFIELD

El chi, la energía vital, da vida a todas las personas, todos los lugares y todas las cosas. Esta es la razón por la que el Feng Shui se centra en aumentar el chi en nosotros y en nuestro hogar. Organizamos nuestros muebles y pertenencias para promover un buen flujo de energía, vivir con lo que nos gusta y escoger los diseños que sean seguros y cómodos. Simplificamos nuestro entorno para fomentar nuestra expresión creativa y la claridad de nuestras metas.

Además de las mejoras ambientales, recuerda cuidar tu equilibrio interno. A continuación expongo dos sencillos ejercicios de meditación para reunir y recargar el chi. El primero se puede practicar en cualquier momento. El segundo requiere un lugar especial.

Ejercicio de la esfera de chi

Este valioso ejercicio para recargar el chi se puede practicar en cualquier lugar y momento.

Siéntate o estírate en silencio y respira despacio y profundamente. Visualiza una brillante esfera de energía dorada, como un Sol que rodea tu cuerpo. Esta es tu esfera de chi. Relájate y visualiza esta esfera irradiando fuerza vital hacia todas las partes de tu cuerpo. Aspira hondo y exhala todas las tensiones. Aspira y visualiza tu esfera de chi llenando y recargando hasta el último rincón de tu cuerpo, mente y espíritu con energía rejuvenecedora y sanadora. Espira a fondo y vuelve a aspirar, envía la energía vital a las partes de tu cuerpo —o de tu vida— que creas que la necesitan y llena todo lugar doloroso de luz y energía. Exhala todo aquello de lo que desees desprenderte. Continúa respirando profundamente y nutre todo tu ser con la energía sanadora de tu esfera de chi.

Puedes recargar tu chi en cualquier momento utilizando esta sencilla técnica. Es el antídoto perfecto para el estrés y te rejuvenecerá siempre que te sientas exhausto.

Ejercicio del movimiento del chi

Este ejercicio activo funciona especialmente bien cuando se realiza con acompañamiento de tambores o de música muy rítmica.

Ponte de pie y separa las piernas hasta la anchura de los hombros. Observa cómo te sientes de pie escuchando la música. Luego deja que el cuerpo se mueva y se exprese al ritmo de la música. Deja que los brazos, la cabeza, las rodillas y todo el cuerpo se envuelvan en sensaciones de movimiento, sacudidas y balanceo. Esto no es un baile rutinario que se supone que se ha de hacer bien, sino un movimiento espontáneo del cuerpo para liberar tensión y acumular chi. Sacude los pies alternativamente. Deja que la espalda se mueva y se balancee, sacude toda la tensión y el estrés de todas las vértebras. Suelta, suelta y suelta una y otra vez.

Ahora deténte y permanece quieto. Sentirás la presencia del chi como un cosquilleo que fluye por todo tu cuerpo. Si tienes tiempo, siéntate o estírate y haz el ejercicio de la esfera de chi.

Este ejercicio de movimiento se puede hacer durante unos quince minutos en privado o en una clase de ejercicio con música. También es muy divertido hacerlo con los niños.

Epílogo

Hemos de estar dispuestos a abandonar la vida que habíamos planeado para vivir la vida que nos espera.

JOSEPH CAMPBELL

Hace un año pasé un mes de vacaciones dedicadas a escribir en el corazón de Lake District, en Inglaterra. Estábamos en plena primavera y en un mes sólo llovió un día. Había una vista en particular desde la parte posterior de Sawrey House que era verdaderamente destacable. Desde mi ventajoso punto de mira, la tierra se extendía en todas direcciones como si fuera una manta de color esmeralda. Las recién salidas hojas de los robles y los arces brillaban al sol, mientras que una invasión de azaleas y aguileñas desfilaban hacia una zona del jardín envuelta en rododendros rosados. Glicinias púrpura y lilas blancas derramaban su dulzura en la brisa y las abejas libaban de flor en flor. Más allá del jardín, los pastos conducían a unos viejos árboles que se erguían como un rosario a lo largo del lago Esthwaite. Al otro lado del lago, las suaves colinas del bosque de Grisedale se elevaban sobre toda sombra verde. Una brisa fresca lo movía todo en un vals lento. Era el cielo en la tierra.

Siempre he creído que la vida puede ser el cielo en la tierra y que a través de pensamientos, palabras y actos positivos yo podría crearlo. Y creo que todos podemos si elegimos ese camino. No obstante, según las circunstancias, la decisión de crear una vida celestial puede empezar con algunos momentos infernales.

Hace una década me trasladé de Washington a San Diego, California. Cuando me dirigí hacia el oeste, estaba totalmente segura de que no iba a poder seguir con mi profesión (practicaba y enseñaba la terapia de la polaridad). Me instalé en mi nuevo hogar y esperé a que la vida me revelara las nuevas instrucciones. Me había casado con un hombre que también estaba cambiando de profesión y la incertidumbre respecto al trabajo produjo una tensión tremenda en nuestro matrimonio. Él no entendía cómo podía «estar tan encerrada en mí misma», en lugar de enseñar o iniciar una nueva práctica. Para intentar mantener la paz, me puse a trabajar en un invernadero de la zona y seguí esperando.

Un día, un amigo bien intencionado insistió en que leyera algo sobre el Feng Shui. Era un tema que había intentado abordar en varias ocasiones, pero cada vez que lo había hecho me había frustrado. Mi frustración terminó el día que escuché al doctor Richard Tan dando una charla. Cuando tan sólo llevaba unos minutos hablando me di cuenta de que ¡al fin lo había encontrado! Todas las palabras del doctor Tan ratificaban lo que siempre había sabido intuitivamente. El nuevo trabajo que esperaba estaba a punto de empezar.

Los acontecimientos que siguieron supusieron algunas de las mayores sorpresas de mi vida. Todo empezó con un gran brote de entusiasmo, mientras aplicaba lo que aprendía en las clases del doctor Tan para reforzar y renovar mi desgraciado matrimonio. Mejoré nuestra zona del amor y el matrimonio con radiantes flores, puse fotos de nuestros momentos más felices por todas partes, reorganicé los muebles y acabé con los restos del desorden que quedaba de la mudanza. Repetí de todas las maneras posibles afirmaciones de que mi marido y yo merecíamos ser felices. Estaba entusiasmada por haber descubierto cómo podía devolver la felicidad a nuestro matrimonio.

En menos de treinta días estaba viviendo sola en un estudio. El matrimonio que pensaba que quería salvar terminó de pronto a los pocos días de haber iniciado mi trabajo de Feng Shui. En medio de la desesperación y confusión, me pregunté: «¿Qué demonios ha pasado?». Estaba alucinada de lo rápido que había cambiado mi vida y, por si fuera poco, justo al revés de como yo quería. ¿O sí lo quería de ese modo? Me había comprometido a crear el cielo en la tierra y a vivir una vida de excelencia. Quizás este era el camino. Tenía que confiar en que fuera así. Ahora sé que al mejorar el flujo de chi en mi casa, nuestra mediocre convivencia ya no tenía lugar para seguir existiendo. Mi intención de ser feliz, unida a mis mejoras Feng Shui, puso de manifiesto la verdad: que realmente no nos pertenecíamos el uno al otro. Era perfecto.

Bendije mi pequeño apartamento, guardé sólo las cosas que me traían asociaciones y recuerdos positivos y realcé todas las zonas bagua. Este iba a ser mi pequeño paraíso durante un tiempo. Sin relación conflictiva de la que preocuparme, pude dedicarme de lleno a mis estudios de Feng Shui con el doctor Tan, Louis Audet y el maestro Lin Yun. También leí todos los libros sobre Feng Shui que pude encontrar, asimilé muchas de sus ideas y técnicas y las integré en mi propia práctica. También experimenté conmigo misma. Cuando quería que sucediera algo en mi vida, utilizaba mi intención clara y los instrumentos del Feng Shui para abrirme camino por mí misma a una existencia celestial. Esto incluía encontrar un buen trabajo. Mientras afirmaba que todas mis necesidades se verían sobradamente satisfechas, mantenía la zona de la carrera profesional de mi apartamento limpia, despejada y bien definida con flores y agua en movimiento. Pronto me ofrecieron un trabajo para dirigir una galería de arte cerca de mi casa y lo acepté gustosa.

Allí se empezó a manifestar una nueva vida en forma de oportunidades para practicar el Feng Shui, tanto arreglando la galería como asesorando a los clientes. Fui testigo de los cambios que hacían algunas personas cuando abrazaban el Feng Shui y también vi que algunas pasaban momentos difíciles en su intento de mejorar su vida. Mis estudios y mi experiencia me entusiasmaban hasta el punto de que empecé a dar charlas en tiendas, escuelas y centros de la comunidad. En una de estas charlas conocí a Louise Hay. Descubrimos que compartíamos un profundo amor hacia muchas cosas, entre las que se encontraban el Feng Shui y las lombrices, y empezó una maravillosa amistad.

Pasó un año sin darme cuenta y ya estaba preparada para tener un nuevo romance. Para celebrar y afianzar mi intención, colgué un móvil de campanas nupciales en mi zona del amor y el matrimonio y reorganicé todo el apartamento. El día que retiré todo lo que había en las paredes y moví todos los muebles, sonó el teléfono. Era Brian Collins, un nuevo conocido; me llamaba para invitarme a comer. El refrán chino que dice: «Si quieres que cambie tu vida, mueve 27 cosas en tu casa», cobró todo su sentido ese día. Nuestra comida marcó el inicio de un romance que desde un principio me había parecido posible.

Nuestra relación tuvo un efecto positivo en todos los aspectos de mi vida. En cada cita, nacía otra historia Feng Shui, lo que constituyó el tema de mi primer libro: *Feng Shui para Occidente*. Brian, un «fengshuista» nato, me apoyó en todo y aportó sus ideas y su experiencia en edición a mi trabajo.

En las vacaciones de Acción de Gracias de 1995, Louise Hay presidió nuestra boda en su salón iluminado con velas. La ceremonia afianzó —es decir, trajo a nuestra vida— el cielo en la tierra. *Feng Shui para Occidente* (al que suelo referirme como nuestro primer hijo) fue publicado por Hay House en la primavera de 1996. Pronto llovieron peticiones para consultas y cursos de formación. Para responder a la demanda, mi buen amigo y experto en marketing Jonathan Hulsh y yo fundamos The Western School of Feng Shui. Elaboramos un programa de estudios, grabamos vídeos para el curso de formación, hicimos un millón de diapositivas del «antes y después», diseñamos talleres de un día, ofrecimos servicios de consulta y una cartera de conferenciantes. Aprovechando el auge del momento, escribí la serie de seis cintas de audio que corresponden al libro *Feng Shui para Occidente*; una guía de referencia rápida, *Home Design with Feng Shui A-Z*; y sin perder un momento, este libro. Nunca he trabajado tanto, me he enfrentado a tantos retos ni me he divertido tanto. La vida, con sus desafíos, éxitos y momentos de tranquilidad, es celestial.

Ahora, cuando me siento en mi despacho, contemplo la vida que estoy creando y la disfruto. Adoro el santuario de nuestro hogar y su jardín, que me proporcionan el equilibrio perfecto para mi ajetreado horario laboral. Estoy agradecida por todas las oportunidades que he tenido de sembrar las semillas que fomentan e inician un cambio positivo en nuestro mundo. No cabe duda que mi cielo en la tierra implica estar más involucrada, tener una visión más amplia y más recompensas que antes. La práctica del Feng Shui guía todos mis pasos.

Que también guíe los tuyos.

Bibliografía

Alexander, Christopher, *A Pattern Language,* Oxford University Press, Nueva York, 1977.

Alexander, Christopher, *The Timeless Way of Building,* Oxford University Press, Nueva York, 1979.

Aslett, Don, *Clutter's Last Stand,* Writer's Digest Books, Cincinati (EE. UU.), 1984.

Breathnach, Sarah Ban, *Simple Abundance,* Warner Books, Nueva York, 1995. [Hay traducción al castellano: *El encanto de la vida simple,* Ediciones B, Barcelona, 1996.]

Bridges, Carol, *A Soul in Place,* Earth Nation Publishing, Nashville (EE. UU.), 1995.

Chin, R. D., *Feng Shui Revealed,* Clarkson N. Potter, Nueva York, 1998.

Crawford, Isle, *The Sensual Home,* Rizzoli International Publications, Nueva York, 1998.

Harwood, Barbara Bannon, *The Healing House,* Hay House, Carlsbad, (EE. UU.), 1997.

Jay, Roni, *Feng Shui in Your Garden,* Tuttle, Boston (EE. UU.), 1998.

Kingston, Karen, *Clear Your Clutter with Feng Shui,* Broadway Books, Nueva York, 1998.

Kingston, Karen, *Creating Sacred Space with Feng Shui,* Broadway Books, Nueva York, 1997.

Lin, Jamie, *The Essence of Feng Shui,* Hay House, Carlsbad (EE. UU.), 1998.

Linn, Denise, *Sacred Space*, Ballantine Books, Nueva York, 1995.

Madden, Chris Casson, *A Room of Her Own*, Clarkson N. Potter, Nueva York, 1997.

Marcus, Clare Cooper, *House As a Mirror of Self*, Conari Press, Berkeley (EE. UU.), 1995.

Miles, Elizabeth, *The Feng Shui Cookbook*, Carol Publishing Group, Secaucus, Nueva York, 1998.

Moran, Victoria, *Shelter for the Spirit*, Harper-Collins Publishers, Nueva York, 1997.

Murray, Elizabeth, *Cultivating Sacred Space*, Pomegranate, Rohnert Park (EE. UU.), 1997.

Nichols, Rick, *In the Flow of Life—How to Create and Build Beautiful Water Fountains*, The Crane's Nest, Huntington Beach (EE. UU.), 1997.

Ott, John N., *Light, Radiation & You*, Devin-Adder Publishers, Greenwich (EE. UU.), 1990.

Patent, Arnold M., *You Can Have It All*, Beyond Words Publishing, Hillsboro Dorrans, 1995.

Ponder, Catherine; *The Dynamic Laws of Prosperity*, Prentice-Hall, Englewood Cliffs (EE. UU.), 1973.

Redfield, James, *The Celestine Prophecy*, Warner Books, Nueva York, 1994. [Hay traducción al castellano: *Las nueve revelaciones*, Ediciones B, Barcelona, 1994.]

Rossbach, Sarah, *Interior Design with Feng Shui*, Arkana Books, Toronto (Canadá), 1997.

Rossbach, Sarah, y Lin Yun, *Feng Shui Design*, Viking, Nueva York, 1998.

Rossbach, Sarah, y Lin Yun, *Living Color*, Kodansha International, Nueva York, 1994.

Saeks, Diane Dorrans, *Kitchens*, Chronicle Books, San Francisco (EE. UU.), 1997.

Saeks, Diane Dorrans, *Living Rooms*, Chronicle Books, San Francisco (EE. UU.), 1997.

Spear, William, *Feng Shui Made Easy*, Harper-Collins Publishers, Nueva York, 1995.

The-Fu Tan, Richard, *Shower of Jewels*, T & W Books, O.M.D.L.Ac y Cheryl Warnke, L.Ac, San Diego (EE. UU.), 1996.
Venolia, Carol, *Healing Environments*, Celestial Arts, Berkeley (EE. UU.), 1998.
Wilhem, Richard, y Carey Baynes, *The I Ching or Book of Changes*, Princeton University Press, Nueva Jersey (EE. UU.). [Hay traducción al castellano: *I Ching, el libro de las mutaciones*, Edhasa, Barcelona, primera edición 1977.]
Wolverton, B. C., *How to Grow Fresh Air*, Penguin Books, Nueva York, 1997.

Ángel García
Consultor de Feng Shui
Servi Salud
(34) 902 15 14 63
http://www.servisalud.com